イン・クィア・タイム

in Queer time

アジアン・クィア作家短編集

イン・イーシェン
リベイ・リンサンガン・カントー 編
村上さつき 訳

ころから

SANCTUARY
Short Fiction from Queer Asia

はじめに

イン・イーシェン

アジアでは何千年もの間、クィアな物語が楽しまれてきました。ヒンズー教の神話には、性別を超えた神々や英雄が数多く登場します。ヴィシュヌ神が魅惑的な女性に姿を変えたモーヒニーや、復讐のために男性の戦士に生まれ変わった『マハーバーラタ』のシカンディなどはその代表例でしょう。世界初の心理小説、紫式部の『源氏物語』では、光源氏は自分を拒んだ女性の弟と一夜を共にしました。また、曹雪芹(ツァオシュエチン)の『紅楼夢(こうろうむ)』や蒲松齢(プソンリン)の『聊斎志異(りょうさいしい)』、ジャワの叙事詩『セラット・チェンティニ』などの古典にもゲイ的、レズビアン的欲望を描いた作品があります。

しかし、西洋による植民地支配の時代になると、LGBTの題材はアジア社会でも次第にタブー視されるようになりました。西洋から持ち込まれた植民地法が〝不自然(ソドミー)〟な性行為や猥褻物を禁止したから、というだけではありません。アジアのエリートたちは、自分たちの文化がヨーロッパと同様に文明的で近代的であることを証明したいがために、検閲や抑圧に加担したのです。このため、近現代の作家たちがクィアを題材とした物語を描くときには、大変な勇気が必要でした。

一九四二年、インドの作家イスマット・チュータイが同性愛をテーマにした短編小説『*Litaaf*』と『*The Quilt*』を発表したところ、世間の反感を買い、法的な告発までされました。一九四九年には日本の小説家、三島由紀夫が『仮面の告白』で高い評価を得ましたが、この若きゲイの青春物語は自己嫌悪に満ちており、明らかに作家自身の精神的な苦悩から生まれたものでした。

アジアのクィア文学がムーブメントとして開花したのは、やっと八〇年代から九〇年代に入ってからです。ディスコとインターネットのはじまりの時代に、クィア性について国を挙げて議論するきっかけとなる画期的な出版物が登場しました。その多くは、ゲイやバイセクシュアルの男性に焦点を当てたもので、台湾では白先勇（パイシェンヨン）の一九八三年の小説『孽子（げっし）』、シンガポールではヨハン・S・リーの一九九二年の小説『*Peculiar Chris*』、スリランカではシャム・セルヴァドゥレの一九九四年の小説『*Funny Boy*』、フィリピンではJ・ニール・C・ガルシアとダントン・レモトの一九九四年の作品集『*Ladlad: An Anthology of Philippine Gay Writing*』、さらに中国ではベイ・トングの一九九八年の電子小説『*Beijing Comrades*』などが登場しました。

一方でクィアな女性たちの物語も少ないながら登場します。インドから、スニティ・ナムジョシの一九八一年の『*Feminist Fables*』、台湾から邱妙津（キュウミャオジン）の一九九四年の小説『ある鰐の手記』、そしてフィリピンから、アンナ・リア・サラビアの一九九八年のアンソロジー『*Tibok: Heartbeat of the Filipino Lesbian*』など。

本書には、このクィアの先駆時代から三名が作品を提供しています。フィリピンからは、『*Ladlad*』の共同編集者、そしてLGBTの政党『*Ang Ladlad*』の設立者であるダントン・レモト氏。シンガポールからは、国内で初めてレズビアンをテーマにした演劇を創作したオヴィディア・ユー氏と、シンガポール人として初めて、明確なクィア詩集を出版したリディア・クワ氏。

しかし、そのほか大半の寄稿者も編集に携わった我々も、ずっと若い世代の人間です。先人たちの努力のおかげで、より自由にクィアなテーマを探求することができています。すでに各国文学界で活躍している人もいれば、今回が初めての出版となった人もおり、アジアの八つの国や地域――香港、台湾、パキスタン、バングラデシュ、フィリピン、マレーシア、シンガポール、インドネシア――を代表する作家たちです。うち、現地語で執筆活動を行われた二名、台湾のスー・ユーチェン氏とインドネシアのアンドリス・ウィサタ氏の作品は、英訳版を収録しました。全員が民族的にアジア人というわけではなく、現在アジアを拠点としているわけでもありません。しかし、全員がこの大陸と有意義な関わりを持ち、自分の経験を生かして、アジアでゲイ、レズビアン、バイセクシャル、トランスジェンダーであることがどのようなものか、新たな物語を紡ぎ出しています。

このアンソロジーは学術的なものではないので、作品を世代順や地域別などと区切ったりはしていません。そのかわり、ゆるやかに重なり合うテーマに沿って、クィアな人々の人生の流れに寄り添う順番で並べました。

最初の四作品では、まず「ラベルの名前」で本当の自分を解放する物語を、「あのこ」で男子学生の初恋とセックスを、「バナナにまつわる劇的な話」では恋人の家族の中での居場所探しを、「ハートオブサマー」では人生への憧れを描いています。

つづく三つのファンタジー作品では、あなたを架空の世界に誘い、心のうちに隠された恐怖や願望を明らかにします。「ようアダム」は大災害がゲイのラブストーリーを呼び起こし、「呪詛」ではレズビアンの魔女がホモフォビアに復讐します。これらの主人公は、LGBTコミュニティにとって理想的なロールモデルとは言えませんが、その大胆さはやはり魅力的に思えるのです。つづく「シャドーガール」は、ホモフォビアのディストピアから逃げ出した恋人たちが、あらゆるセクシュアリティとジェンダー表現を尊重するユートピアの街に避難するという、特に感動的な物語です。これは希望と癒しに満ちた、ファンタジーです。

つづく四作品は〝背後注意〟な作品です。ここでは、セックスという物理的な行為を中核に据えています。「生理現象」では、ハッテンバでの解放感を求めるコミカルな気まずさを、「重ね着」では、クローゼットの大家さんとの秘め事を、「砂時計」では愛するパートナーとのセックスの解放感を、「リサルストリートの青年たちへ」では年下のセフレと寝ることの情熱と心の傷を、それぞれ表現しています。

これは、年を重ねることで生じる後悔や懐かしい感覚を探る次の四作品とうまくつながっています。「お茶会」は、十代の恋人を待つ既婚男性のちぐはぐな未熟さを垣間見せてくれ、「上陸さん」と「サンクチュアリ」では、パートナーもいる成熟したクィアな人物が、十代の頃の心の傷を振り返って教訓を探しています。「蚵仔煎（オアチェン）」では、過去の女性との交際の記憶を大切にしながらも、アセクシャルでアロマンティックになった年配の女性が登場します。

最後の二作品は、死の恐怖を呼び起こす物語です。さて、検閲の時代から多くのクィア・キャラクターがハッピーエンドではなく、殺人や自殺、末期疾患などの運命を背負わされてきた歴史もあることですから、LGBTフィクションにおいて「死の恐怖」だなんて、使い古された表現だ、危険な表現だと思う人もいるでしょう。が、そういったお決まりのプロットには嵌らないので、心配ご無用です。「命には命」は、愛する人の死後に、その孫娘に贈り物をする癒しの魔女のお話。「スノードームの製図技師」は、クメール・ルージュの生き残りの女性が、キリスト教の神父、仏教の僧侶、恋人と神学について語り合うお話。これらの作品の作家にとって、死はクィア性に対する罰ではありませんでした。死はむしろ聖なるできごとであり、救いであり、人生の充足のための、単なる一要素なのです。

本書は決して、アジア地域のLGBTに関する作品を全て網羅したアンソロジーではありません。私たちの創造性、多様性、そして葛藤を表現した作品は、多くの言語やジャンルで無数に存在しています。しかし、この本はきっと重要であると信じています。単に本当に推せる読み物だからというだけでなく、本書そのものがコミュニティを構築してくれると信じているからです。

このアンソロジーには、異なる文化や背景を持つ作家たちの、七色の想いが詰まっています。だからきっと思い出してください。我々を隔てる障壁は無数にあるけれども、それでも私たちは一つなのです。

そして読者のうちで、カムアウトできる環境でなく、政府や社会から抑圧されたり、受け入れてもらえずに苦しいと感じている多くの人々へ。ぜひ、この本に慰めと安らぎを見出していただき、少なくともあなたは一人ではないと思い出してほしいと思います。ここは安全な空間――サンクチュアリです。

我が家だと思って。さあ靴を脱いで、くつろいで。

はじめに　イン・イーシェン　3

ラベルの名前

アルハム・ベイジ

一　女の子の話

「女子は入れてやらないから」

その言い方に驚いて尻込みしてしまった。タヘルだって私の方が上手いって知っているのに。この脚はコントロール抜群だし、私はキーパーもアイツより上手い。そうタヘルにもわかっているはずだった。やっとボールを蹴れるくらい小さな頃から、庭先でサッカーに勤しんだ仲だもの。

タヘルはこっちを睨みつけ、私が立ち去るのを待っていた。その背後では男の子たちがもう準備運動をしたり、ボールを投げ合ったり、ゴールを設置したり、チーム分けで盛りあがっている。かたや私の背後では、女の子たちがベンチの周りに集まっていた。つい先週、ゾーイが十五歳の誕生日祝いで携帯電話を貰ったばかりなのだ。青い折り畳み式のやつ。インターネットにも繋がるけれど、そのためには何やら手続きがいるらしかった。ちょうどこの隙間に、私は立っていた。別に迷ってたわけじゃない。サッカーがしたかっただけ。

「タヘル、お願いってば。私が上手いの知ってるくせに」

「女は俺たちとは遊べないんだ」

「この前も一緒に遊んだでしょ」

「いや、でも、これからはダメだよ。女子がいたら手加減しちゃうから、男は全力出せないんだよ。それって、フコウヘイだよな」

また始まった。女子。たいして深く考えたことはなかった。確かに、私は女子。出生届にもバッチリそう書いてある。「サイマ・センちゃん」。ちゃんがついたら女子、くんがついたら男子。だから私は女子だ。理に適っていた……この瞬間までは。それがどういうことだか知らなかったから。この瞬間までは、私はただのシュートが上手いコントロール抜群のニンゲンだった。女子だというのはたいした問題じゃなかった。それは例えば、私の髪の毛が黒くて、日に当たれば茶色く見えるのを変えられないのと同じこと。どうしようもないことなのだ。髪がいくら茶色かろうとシュートの上手さは変わらないのに、タヘルはもう踵を返して、私は残されてぽつんと立っていた。

深くうなだれて、涙をこぼしながら家に帰った。女の子でいたくない。私はタヘルの言葉よりも、自分が女の子であることの方を責めようとしていた。母さんが家中の書類をしまっている戸棚を開いて「サイマ」というラベルのついたファイルを探す。出生証明書を取り出してテーブルに持っていき、慎重に広げて置いて、消えない黒のマーカーで「ちゃん」という言葉を潰してみる。これで、私は女子じゃなくなった。もう、ただのサイマ。

黒のショートパンツとTシャツを着て、サッカーシューズを履いて、また外に出た。女の子たちの人数が少し増えていた。やっぱり皆あの携帯電話が気になるのだろう。ボールが地面を転がって、ゴールラインを踏みこえた。私はそれに飛びついて、フィールドのわきに駆けよる。

「今度は入れてくれる?」

ゼインは肩をすくめて、タヘルに合図した。

「お願いったら」

「馬鹿は何言ってもわかんないんだな。女子は、サッカー、できねえんだよ」

私は挫けてしまわないように大きく息を吸いこんだ。

「おれ、女じゃない」

タヘルは口をあんぐりと開けて私を見つめ、そして声をあげて笑った。皆もそれに加わった。わっと泣き伏してしまいそうで、ボールに短い爪を食いこませる。

「それ、返せよ」

タヘルは私の手からボールをひったくるなり、スローインの姿勢に戻った。ボールの戻し方がヘタクソだ。そもそもサッカーが上手じゃないんだ。だけどタヘルの図体はデカくて、私はチビ。タヘルの声は大きくて、私の声は小さい。だからタヘルは私の嘆きをかき消してしまった。男の子のうち何人かは私に申し訳なさそうな顔を向けたけれど、タヘルは十三歳。私たちは皆年下だった。

打ちのめされた私は家に帰るなり、頭からソファーに突っ伏した。すると、ダムから水が溢れるように激しい気持ちが胸からどっと飛び出して、あまりに大声で泣いたので、母さんがリビングに飛んできた。

「どうしたの、サイマ」母さんがかがんで私の短髪を撫でる。

「あいつら、私のことサッカーに入れてくれないの」

「だから女の子たちと遊んだ方が良いって言ったでしょう。男の子に乱暴されても困るんだから」

「でもママ、私女の子でいたくない」

「バカなこと言わないの」と母さんは笑った。母さんはきれいな女性だ。唇が弧を描いて微笑んだとき、その顔はほんとうに輝いて見えた。

「でも本当に嫌なの、ママ、女の子にさせないで」

母さんは私の頭を撫で、慈愛の微笑みを浮かべた。思い通りになんでも癒してしまう魔法の笑顔だ。

「さあ、お顔を綺麗にしておいで」

抵抗も虚しく私はソファから持ちあげられ、部屋に向かって背中を押された。自室に入って後ろ手にドアを閉める。大きな部屋を貰っていたけれど、かなり持てあましていた。片隅にベッドと戸棚が置かれ、向かい側の壁にはあるだけの本を置いた本棚と、傍に小さなテーブルがあるばかり。テーブルの上に色々と載せてみてはいるものの、どれも長らく触れていない。

戸棚に据えつけられている鏡の前に立ってみた。昨日と変わらない私がそこにいる。学校の階段から落ちて、顎に小さな擦り傷ができたくらいだ。まさかその傷のせいで今日急に女の子になったというわけでもないだろう。女の子じゃなかったら、私はなんなのだろう。性別についてなんか考えたこともないから、自分が一体どうなりたいのか見当もつかなかった。けれどとにかく、もう女の子は嫌だと思った。

ラベルは良い。世の中の何物も、ラベルがあれば全部わかる。全部ラベルを貼ってこれと決めておけば、何に脅かされる心配もないんだ。ラベルは規律であり、世の中には規律が必要で、だからラベルが必要なんだ。私はキッチンのスパイスとソースの瓶全部に几帳面にラベルを貼って、綺麗に並べ直した。母さんは「ラベルなんかなくても、どの袋にコメが入ってるかなんてわかりますよ」と言って私をたしなめた。

それまで、まさか自分にラベル貼りをしようと考えたことはなかったけれど、やるなら今だと思ったのだ。私はマーカーを取り出すと、袖をできる限り高く捲りあげ、小さく丁寧な字で「九さい」と、手首の傍に書いた。続けて「サム」と書いた。「五年生」と書いた。「アーティスト」と書いた。「サッカーせん手」と書いた。「未来の宇ちゅうひ行士」と書き終えて、しばらく腕を見つめた。私は他には何者だろう？　ため息をついて、なるたけ小さな字で「女の子」と書き加えた。

二　ムスリムの女の子の話

その月曜の午後も相変わらず、イスラム学校（マドラサ）に行くためのおめかしをしていた。マドラサを楽しいと思ったことは一度もなかったけれど、あそこで優等生になるのは難しくない。この世の中には義務というものがあって、それからは絶対に逃げられないのだと、私は十分わかる年だった。もともと負けず嫌いだったから、他の子よりも優秀でいようとしてしまったし、本当にほとんど他の誰より優秀だった。学期の中間試験が返ってきたときには、この「ほとんど」というのが一番の悩みの種だった。けれどこの学期中、一番は塗り替えられ、尋ねられずに我慢していたひとつの質問が私を最も悩ませることになる。

その日、私は最前列の空席に腰を下ろした。教室には原因不明の悪臭が立ちこめていた。恐らくはこの小部屋につめこまれた汗臭い子供たちから。私はぎこちなく巻かれたドゥパッター★をいじった。マドラサは、私がサルワール・カミーズ★★を着る唯一の場所だ。これは南アジア伝統のドレスで、着るとなんだか自分の内側に引きこもりたいような気持ちになる。十歳で短パンは卒業したから、自分の意思で履く物と言えばもうジーンズだけだった。

先生はいつものように遅れて来た。細くまばらに生えたその髭を、時々指でいじっている。冗談をよく言う人だった。この頃私は本をよく読んでいて、女の子と男の子の違いもわかるようになった。男の子であれば特権が与えられることも知った。例えば男の子はどんなに下品な冗談を言っても、おとがめなしである、とか。男の先生という立場なら、余計にそうに違いなかった。

「六十九ページを開いて」荒々しく大きな声。

本を開く音やページをめくる音が、一瞬だけ教室を満たす。

先生の授業は進むのが速かったけれど、時々脱線して小話をするので私たちは愛想笑いをした。先生が気をよくして授業を早めに終わらせてくれないかと期待してのことだ。先生は本から頭をあげ、女子生徒たちの方を振り返った。先生には、大事なことは一旦間を置いてからドラマチックに言う妙な癖があり、ときにはその間というのが少し長すぎるのだった。私たちは次の行が読みあげられるのを待った。

「女は男に服従しなければならない」

私はぴくりと眉を上げた。そのとき、他の生徒が私の考えていたの同じ質問をしてくれたので、束の間この静かな怒りから解放された。

「でも先生、男の人たちは女の人に服従しなくても良いのですか?」彼のお気に入りの生徒のひとりであるゼラが首を傾げて言った。

「男は神にさえ従っていれば良いんだ」先生は追加質問を許さない語気の強さでこの声明をしめくくった……つもりのようだったが、ゼラはめげずに畳みかけた。

「それは不公平ではありませんか?」

「神の教えに盾を突くのか」先生は椅子から身体を持ちあげ、拳を怒らせた。

これほど怒っている先生を見たのは初めてだった。ゼラは委縮したみたいだった。私は堪らずに手を挙げ、指名されるのも待たずに続けた。

「なぜ、女性は発言権や立場を得てはいけないのですか？」

先生は私を振り返り、かなりの間じっと見つめた。その見開かれた目の縁に赤い血走りをみとめて、私の心臓は恐怖でばくばくと鳴った。

「馬鹿な質問をするな！」彼の声はゆうにふたつは教室を跨いで聞こえるほど大きかった。皆その場で凍りついて声など発せないほど恐怖していたけれど、私はもう、脱線不可能のレールの上を走り始めてしまっていたのだ。

「でも先生、質問は深い理解に役立つのではありませんか？」私の声は小さかったが、震えてはいなかった。後ろに座っている女の子がやめなよと小声で諭したけれど、もうブレーキなんかきかない。

先生は立ちあがり、私の頭上に迫った。私は恐怖で息を呑む。先生の白いカミーズはよれて曲がっていたけれど、それはついぞ正されないままだった。彼は丸々と腹の出た大男である。若い頃は恐らく美男子だったのだろうが、今や先生はただこの部屋一の権力を持った怖い男というだけだった。

「出ていけ」ドアをさすその指は怒りで震えていた。

私は立ちあがろうともしなかった。

「先生、彼女は悪いことはしていないと思います」ゼラが救援をよこした。

「君も出ていくんだ」

「ごめんなさい、先生」ゼラは大袈裟にしおらしく謝ってみせたけれど、私は反省などする気はない。歯の一本もダメにしてしまいそうなほど強く沈黙をかみしめた。テーブルの下で右手を強く握り、落ちつけるよう懸命に深呼吸を繰り返す。

「さもなければ先生が出ていくぞ？　良いのか？」これは世の先生が使う中でも最上級の脅し文句である。普段の生徒たちは皆授業終わりのチャイムまで秒単位でカウントダウンしているというのに、これが脅しとして成立するのだから奇妙なものだ。私たちは立ちあがってゆっくりとドアの方へ向かった。教室を出るまでは、さながら絞首台に向かう死の行進に思われたが、ドアが開いた瞬間、私は自由を匂った。風が顔に心地よく、頭の上からドゥパッターを吹き飛ばす。ゼラは私が涼しい風に微笑んでいるのを見て、眉をひそめた。

「私たち、これから絶対ヤバいよ」

私はうなずいた。確実にヤバいだろう。

「味方してくれてありがと。そんな必要なかったのに」

「ううん、どの道教室が暑くてうんざりだったから」

私は大きく笑い、ゼラも微笑み返してくれた。私たちは最後のチャイムが鳴るまで黙って一緒に待って、連れ立って校門を出た。私はスクールバスに向かい、ゼラはお迎えの車に駆けよる子供や過保護な親たちをかき分け、通りの向こうへと消えていった。

一時間半後に家に着いた。汗だくの子供でいっぱいのスクールバスの悪臭がまだ服にしみついている。ソファに崩れる前に、ドゥパッターを外して扇風機の電源を入れた。ソファの赤いベルベットは、汗まみれの肌には不親切に暑い。溶けるようにタイルの上に転がり落ちると、床はひんやりとして心地よく、私はしばらく目を閉じていた。

次に目を開いたとき、母さんが眉をひそめて私を見下ろしていた。

「ママ、私もうマドラサには行かない」

「サイマ、マドラサに通うのは大事なことよ。あなたあそこが好きでしょう」

「どうやったらそう見えるわけ？　あんなとこ大嫌い。ママ、あそこ最悪なの。先生も最悪。今やってる勉強も最悪。あのセクシストのクソ馬鹿野郎」

母さんが眉を吊りあげたので、しまったと気がついた。「そんな言葉、どこで覚えてくるの？」

「ごめんなさい、ママ。でも本当にセクシストで、ひどいんだもん。もう行きたくないの」

「その口の聞き方は誰から習ってくるのかしら」

「誰でもないよ」

「サイラね？　最近ずっと一緒にいるでしょう。悪影響だからその子と遊ぶのはもうおやめ」

「サイラは友達だもん。ママもサイラのこと好きって、自分で言ってたくせに」

母さんは顔をしかめた。

「そしたらもう、このサルワール・カミーズも捨てちゃっていいでしょ」

「何の話？」

「マドラサに行かなくなったら」

「行かなくなりません。引きずってでも連れていきますからね」

「でもママ、それって全然意味ないよ」

「どうして？」

「だってマドラサに行ったって私、より良いムスリムとかにもならないし、もっと信心深くなったりもしないもん」

「もっとって何？　サイマは最初からちゃんと神様を信じてるし、ちゃんと良いムスリムですよ。ママの可愛い娘だもの、マドラサにもちゃんと行くわ」

私は口をあんぐりと開けて母さんを見つめた。「ねえ、でも行きたくないの。お願いしますってば」

娘の哀願にもかかわらず、母さんは容赦なしだ。

このとき、もう優等生はやめだと心に誓った。テストの成績なんて、二度と気にしてやるものか。

三　クィアでムスリムの女の子の話

私は寝そべっていて、ふたりの間には人ひとり分くらいの空間があった。彼女が差し出すタバコを受け取る。凍えるほどではなかったけれど、わずかな震えが体を駆けぬけていくような、ひんやりとした冬の終わりの夜だった。

「で、今日はどしたの？」低い声で彼女が尋ねた。

私はため息をついた。

今夜ここに誘ったのは私だ。もう限界が来てしまったから。ほんの数日前にもそう思ってここへ上がってきた。そのときはひとりだったし、正直上ったのと同じ方法で下りる気はないくらいだった。

「サム？」

「イズラを覚えてる？」

「歴史のクラスの新入生の女子。またその子の話」彼女はくすくす笑った。「よーく覚えてますよ」

星があまりに美しくて、自分がどこにいるのか見失いそうだった。残りの人生をずっとこの穏やかな空を見上げて過ごせたなら、何もかも諦めたっていいのに。

「私、あの子が好きだと思う」消え入りそうな囁き声だった。

「改めて聞かされなくても、あんたずっとその子の話してるよ。流石にもう友達になったんでしょ？」

「そうじゃなくて。〝好き〟なの」

彼女が私の方に向き直る。そうと知るのに星空から目を逸らす必要もなかった。水から追い出された魚のように心臓が震えた。ドクドクと打つ脈は風の音を容易にかき消してしまう。

「〝好き〟？」

私はうなずいた。

「なにそれ、どういうこと」その言葉に宿る警鐘がありありと感じられた。

ため息をつく。おむつの頃から仲良しだった誰かさんなら、こんな風に改めてカミングアウトしなくとも察してくれているはずだ、なんて期待するだけ大間違いなのだ。

「ゲイなんだよね、私」

もっとドラマチックな激白になるだろうと昔から妄想していたのに、いざこうなってみるともう、全てにうんざりだった。こんな会話早く終わらないかな、と私は思っていた。

「ゲイ」彼女はその言葉が脆弱であるかのように、それでいて触れた全てを破壊する凶器であるかのように、おそるおそる繰り返した。この配慮は、多分正しいのだ。

「あのさ、私は十九歳にもなって、一度もあんたに男の話したことないんだよ。変だと思ったことない？」彼女は肩をすくめた。

「あんたが恋に恋するタイプじゃないだけでしょう。それは別におかしいことじゃないし、だからってゲイとは限らないよ、サム」

「私、男じゃなくて、女が好きなの。それをゲイって言うんだよ」笑顔を作るように唇が弧を描いたけれど、これはほんとの笑顔じゃない。笑顔じゃなくてなんなのか、それすら不確かだ。けれどそれは、ふたりの間に確かにぶら下がっていた。

「気のせいってことはないのね？」

この返しには暴言のひとつも吐いてやりたい気持ちになった。だけどこれは突然の告白で、彼女にしたら衝撃の事実なのだ。たった数分で飲みこめるはずないだろうと自分を抑えた。そうだ、私には何年もあった。

「気のせいだったらこんなことあんたに言わないよ」

「わかった、」彼女はうなずいた。「でもさ、若気の至りっていうこともあるじゃない?」

今度は正直、実際に笑いかけた。だって本当に若気の至りだったら、どんなに良かったか。

「男の子と付き合ったことないでしょう、だから試してみるまでわかんないと思う」と彼女は進言した。

「あんたも女の子と付き合ったことないから、自分がゲイかどうかわかんないよね?」

彼女は笑ったけど、起きあがってうなずいた。「ああ、確かに」

私も彼女に次いで起きあがった。

「で、イズラなのね?」彼女は眉をあげた。

私は笑った。「そ、イズラ」

「もう告白したの?」

「なワケないじゃん」私は声を出して笑った。「遠くから見つめるだけ。そういうもんでしょ」

「そういうもんだね」

彼女はたばこ二本に火をつけて、一本を私に手渡した。

短い沈黙が私たちを包んだ。その後、イズラについて前に話したようなことをまた繰り返したけれど、今回は彼女の熱心な相槌つきだった。それから、彼女の彼氏のダニエルがもうすぐ大学に行ってしまうだとか、そんなことを長々話しこんだ。気づけば空はもう白んでいて、私は彼女につきそうでつかないくらいの場所に寝そべっていた。星々はもうほとんど姿を消していた。空はあらんかぎりの新しい色合いを映した。朝はこれだから大好きだ。明るい青に橙の差し色がこんなに美しく映えるのは、他ではなかなか見られない。この美しさをどう言葉にしていいのか、知り得ることはないのだろう。もしかしたら、イズラが微笑んだときみたいだ、と言ったら一番近いだろうか。

「サイマ?」その声が沈黙を貫いた。私がサイマという呼び名を嫌うのを、彼女はよく知っていたはずだった。

「何?」私は目を空から引き離し、振り返って彼女を見た。

「怖くないの?」

「何が?」

「地獄に落ちるのが」

唇が勝手に弧を描いていた。「もう遅いよ」と私は息遣いだけで囁いた。

「何?」

もう落ちてるんだよ、と考えながら唇を離れた言葉は「なんでもない」だった。彼女は二度は尋ねなかった。彼女の中ではもう、私は「ダメ」なんだろうと思った。

四　クィアでムスリムで「恐らくほぼ女」の子の話

従姉のゼナのカラチでの結婚式は、私が十九歳の夏だったか。それ以来、ドレスに腕を通すことはしないで生きてきた。母さんの差し出す派手すぎないエレガントな黒のドレスは、ゼナの結婚五周年を祝うにはちょうどぴったりの可憐さだ。母さんの目は希望に満ちていたけれど、私は首を振った。先ほどまでの希望を燃やし散らしたような失望が嫌に白々しい。けれどもう慣れっこだ。

私は肩をすくめた。

「ママ、何言われてもそんなの着ないよ。わかってるでしょ」ため息をつく。なんて諦めの悪い人だ。

「サイマ……」言いかけて、母さんは自分で気づいて口をつぐんだ。でもそれは私が射るような視線を向けたあとだった。

「サム、」母さんはそっと訂正した。この話題になると母さんは私の五マイル幅の地雷原を踏みぬかないよう、毎回つま先立ちで挑む。親子ふたりの間で、これが単なる事実として成立する日は来るんだろうか。サイマは消えた。ここに残ったのは、サムなのだ。「ニューヨークで素敵な編集の仕事を見つけても、名前をサムに縮めても、あなたは私の可愛い娘でしょう?」

「ママったら」警告なのか嘆願なのか、多分両方だ。

「わかっていますよ。でもね、ほんの一度だけ、ちょっとだけでも女の子らしい恰好をしてくれたら、ママは嬉しいんだけどなあ」

私はうめいた。「ドレスって趣味じゃないんだよ」

母さんが何か言う前に、私は手を挙げて牽制した。

「でもね」にっこりと微笑んでみせる。「スーツに合うジュエリーくらいならいいかも。ネックレスとか。なんならメイクくらいならしてもいいよ、ママのためだけに、サービスね」

「用事で外してなかったら、アリヤなら喜んでドレスを着ただろうにね」

母さんが娘を咎めるために、娘の恋人の女らしさを引き合いに出すなんて考えただけで笑える。だけどこれが現実だ。どういうわけか、いつの間にかこれが私の人生だった。

「着ないのね」

母さんは目を丸く見開き、大袈裟にため息をついた。

「説得の余地もなさそうだわ」

その頬にキスをして母さんを見る。唇が温かい笑顔をかたどって、若々しい目つきに不似合いに刻まれたシワを深めていた。

「大好きだよ、ママ」

母さんは微笑み返してくれた。


「ね、そのメロドラマもう終わった？　誰かこの背中のチャック、留めてくれない？」ゼナが呼びかける。

金と青のドレスが息を呑むほど美しく、七カ月目の膨らんだお腹はその輝きを一層際立たせていた。椅子から下がっている真っ黒なコートに手を伸ばすと、母さんが手伝ってくれる。袖を整えてベストをのばしている間に、母さんはこのストライプのベストに、控えめすぎず派手すぎない、ぴったりのシルバーのネックレスをすぐに見つけてしまった。

「仕方ない、化粧は諦めましょう」

「ママ、優しいね」

「ほら、もう二十分も遅刻してる」ゼナがドアを開く。

「オシャレに遅刻するのはゼナの十八番でしょ」母さんはくすくす笑って、私が差し出した手を取った。

五　取るに足らない重要な存在　生きるということ

あと十分もすれば妻と呼べる女性の隣に立っている　母さんが部屋の向こうから光を放っている　太陽がまだ輝いている　世界がまだ壊れずにいる　私もまだ生きている。

深呼吸をして、アリヤと向き合う。

★ ドゥパッター▼南アジアの女性用ストール。胸のふくらみや頭部を隠す

★★ サルワール・カミーズ▼サルワールはズボン、カミーズはシャツ

★★★ ゲイ▼性別にかかわらず「同性を恋愛対象とすること・人」のこと

あのこ

ラカン・ウマリ

その年やっと僕の人生が始まった、と思った。アラバン村の惨めな男子校の呪縛から逃れ「奨学金マン」という臭そうなあだ名から逃れ、ついに州立大学に――自由思想の源泉に――やっとたどり着いたのだ。電車での旅だった。右に刺青のマッチョ、左に騒ぎ盛りの三児とその哀れな母に挟まれて、一カ月分の衣類や生活用品がぎちぎちに詰まったカバンを二つ抱えて。

これまで禁じられてきたあらゆる自由に思いを馳せていた。あの黒服の敬虔な神父様が嫌な顔で睨みつけてきそうな…例えば、サボってキャンパスの緑を満喫する自由、汚い言葉を使う自由、エロ小説を読む自由、などなど。あと何より、セックスの自由。

寮に到着するなりマットレスに倒れ込んだ。ここのマットレスは僕の前腕よりもちょっと分厚い。ようするに実家の簡易ベッドよりもはるかに寝心地がいい。二時間の旅路に疲れて崩れるように突っ伏すと、かびっぽい石鹸のような匂いが鼻腔を満たした。次に肩を揺り起こされるまで、僕はぐっすりと眠った。

眠い目をこすりながら、ここで初めてライアと出会った。一瞬、女の子かと思ってひどく驚いたのを覚えてる。男女混合の寮室なんて前衛的すぎてショッキングだ。ウェーブのかかった髪が、陶器の人形のような顔を縁取っていた。汚れのない肌、光を受けて反射する瞳、完璧なアーチを描く二本の眉、花びらのようなピンクの唇。

「寮長に、起こしてやれって頼まれたから」と彼は言った。「食堂のラストオーダーは八時だからね、急いだ方がいいよ」そう言って、ライアは食堂まで案内してくれた。さっき到着した時には疲れ切っていたので、寮の雰囲気をしっかり見るのはこれが初めてだ。なんだか家族と住んでたアパートを思い出した。こっちの方が奇麗だけど。

壁と床は同じ古紙色で、廊下は二人が並んで歩けるくらいの幅がある。他の部屋の前を通る時、寮生たちが〝マッチョ腕〟厚のマットレスに寝転んだり、壁の汚れを隠すためにポスターを貼ったり、開いたドアに寄りかかったり、他の新入生と談笑しているのを盗み見た。夏の雨と濡れた服の匂いが、まだ実家気分も冷めやらずに戸惑う僕の心を落ち着かせてくれる。ここはもう、ムンティンルパ市じゃないんだ。

「ヒルトンホテルってわけにはいかないけどさ、住めば都ってやつだよ」とライアは言った。

食堂は案外近くて、列に並ぶとライアはすぐに僕を置いて行ってしまった。緑豆とご飯を盛ったトレーを手に立っていると、そこにいた学生グループが一緒に食べないかと誘ってくれた。

「南タガログ★へようこそ！」と彼らは言った。

テーブルには、僕の寮室のあるフロアから、首都圏のカヴィテ州出身の生徒が集まっているようだ。医学部志望で理学専攻のハイメ、地質学専攻のレヴィ、そして弁護士を目指す経済学専攻のジョナはグループのリーダー格だ。全員一年生。ジョナ曰く、寮生の出身地によって大体テーブルが分かれ、そうして派閥が出来ているらしい。僕はムンティンルパ出身なんだと告げると、彼は大笑いしている学生たちのテーブルを指差した。笑いすぎて、食べ物が口から飛び出しかけている。「じゃ、お前はチーム首都圏だな」と彼は言った。

「三人だけ？」と聞いてみた。

「いや、本当は四人いる」とジョナが答えた。

「四人目はどこ?」「お前のルームメイト」

「なんでいないわけ」

「料理が口に合わんのだとさ」ジョナが言った。

「毎日レストランで食べてるらしい。金持ち街のカティプナンだか、マギンハワだか、ケソン市の辺りにお気に入りがあるんだと」ライモンド・マイア・セダーノ、略してライア。ジョナ曰く彼も新入生だ。故郷はカヴィテ州のカウィット自治体で、そこで父親の仕事の資産運用を手伝うために、ビジネス専攻で学び始めたらしい。

「実家じゃ、コメやトウモロコシで大金稼いでるらしいね」とレヴィは言う。「庭のプールは札束でギッシリ」

「超巨大地主だって。何十キロも続いてる畑の真ん中に一戸だけ寂しく豪邸が建ってんの」とハイメがつけ加えた。

「アイツの人嫌いも無理ないよ。豪邸の御曹司だもん。共産主義者どもに素性を知られたら、リンチされちゃうと思ってんのさ」とジョナが言った。「あの坊ちゃん、ママにでもそう教え込まれたんだろ」

ルームメイトだというのに、大学に入学してからの数カ月の間、ライアとの交流はほぼ皆無と言ってよかった。朝起きればライアはベッドで会計の本を読んでいて、夜になるとまたベッドに戻ってきて、携帯で映画を見てた。この携帯電話はタッチスクリーンを搭載した最新式のもので、メールを送るのがやっとのグリーン液晶の僕からしたら、SF映画級の衝撃だった。ライアは毎晩の散歩以外は部屋を出ないようだったが、ジョナとハイメは彼が夜ごとキャンパスを歩き回っているのをよく見かけると言っていた。アカシアの木の下を散歩したり、カポック綿の落ちる芝生の斜面に寝そべったりしているらしい。ケソン・ホールの銅像の足元に座って、まるでその巨大な大理石男に話しかけられるのを待ってるみたいにしてたこともある、とも聞いた。ジョナは「金持ちってマジで意味不明」と言ってた。「腐るほど金があるっていうのに、像だの木だので時間潰す意味、あるか？」

ライアが皆と食堂で食べるなんてことはあり得ないのだ。そう思い至る他なかった。一度はそのレストランとやらに同行させてもらえないかなとも思ったけど、僕の小遣いぽっちじゃ一回の食事で丸ひと月分は下らないだろうと考えてやめてしまった。

僕は大学生活を充足させることにも腐心していた。最初の学期には二つの団体に加入した。ひとつは学術系の団体、もうひとつはスラム街の子どもたちと交流する社会貢献活動の団体だ。様々な集会に顔を出し、学生や労働者、農民たちと一緒に土地や賃金、教育の改善を求めてデモに参加したりもした。昼間は授業にきちんと出席、夜は教育に関する議論や委員会、マーケティングのワークショップ、その後パーティでコネづくり。忙しくしていた。個人的、社会的地位向上につながると思ったらどんな催し物にも参加するようにしていた。

ちょっと詰め込みすぎたかもしれない。気がつくと、授業中に居眠りをしていることがある。社会統一性やフィリピン＝アメリカ戦争についての講義の最中に船を漕いでいる始末。コーヒーが命綱だった。まだ大学一年目の最初の一学期。だけど僕には四年しかない。それしか猶予がないことを重々承知していた。ただの一年でも留年なんかしたら、両親から勘当されることになる。僕が卒業後すぐに実家に戻って求められた役割を全うしなきゃ、両親はやっていけない。ようするに僕にはこの限られた時間を最大限に生かす必要があった。

ある晩、エナジードリンクでキメてアドレナリンに満たされた僕は、最初の専攻科目である社会学基礎の期末試験に向けて勉強していた。その教授が白髪頭の鬼教官といった婆さんで、この試験が学部での僕らの行く末を決めると壮語するのだ。試験に落ちれば、婆さん直々に学部からの三行半を突きつけられることになる。

机の上に腰掛け、明滅するランプの灯の下でフランス人思想家サン・シモンの本を読んでいると、背後のベッドからガサガサ音がする。

「まだ起きてるんだ」ライアはナイトテーブル上の携帯に手を伸ばしながら言った。「もう二時だよ」

「学生の本分ってやつ」と僕は答える。

「寝なよ」とライア。「朝、機嫌悪い奴の相手したくないし」

この発言の真意について、様々な解釈が脳裏をよぎった。いつかの朝、不機嫌な僕が世話や迷惑の類を押しつけたことがあったんだろうか？　もう御免だと言っているのか？　メンタルの自己管理が下手な奴とは付き合いたくないぞってことか？　それか、単純に僕の身体を心配して気遣いを示してくれたのかもしれない。最後のが正解だといいな。

薄暗がりの中、ライアは手探りでベッドから出て、僕のところに来た。身体を熱い波が覆いかけたが、彼が枕を差し出してくれているだけだと気づいてすぐに引いた。

「ほら」と彼は言った。「アヒルの羽毛が入ってるんだ。よく眠れないって愚痴ったらママが買ってくれたんだけど、結構いいよ」

ライアは自分の寝床に戻っていった。外では月がギラギラ輝いていて、僕はライアのベッドがある方を向けなかった。そこにあるものに怯えて、震えてしまうと思ったから。

‡

始まりは、僕のシャツを着たライアだったと思う。バスケ用の紫のジャージだ。村のコートで何度も何度も試合をして擦り切れた、しかも虫に食われてボロボロのやつ。会計学の本を読みながらベッドに寝転ぶライアのその服装を見て、一瞬彼のベッドの前に立ち尽くしてしまった。なんだって下流階級のぼろきれなんか着たがるのか、それを受けて僕はどうしたらいいのか、分からなかったのだ。

「ねえ、それ僕のジャージだろ」と僕は聞いた。

読書に没頭していたのを、おどかしてしまったようだ。ベッドに横になったまま僕を見上げてくるのを、上から見たらそういう腹ばいの生物みたいに見える。

「あ、ごめん」と彼は言った。「自分のと勘違いしちゃったかな。今返した方がいい?」

「いや、別にいいよ」と僕は言った。「明日にでも返してくれれば」

嘘をついていることは分かっていた。なにしろ毎日イタリアやアメリカから輸入した高級ポロシャツを着ているような奴だ。洗剤のダウニーとエアコンの匂いがして、ああいうのが一枚買えるお金があれば僕の家族を丸一週間は養える。

ライアにからかわれてる。そんなこと僕は承知だった。昼食時に彼を盗み見ているのに気づいたに違いない。僕が南タガログ出身の寮生たちにライアの話題を振りすぎるのを、聞いていたに違いない。彼のことをどう思っているか、僕の服を着たライアを見てどんな妄想を巡らしたかまで、全部知っていたに違いなかった。ライアの柔らかいお腹にざらざらした生地が擦れる様子。僕を包んだものがライアの肉体を包んでいるということ。僕はまんまと昂った。どうにかしてお返しをしてやろうと思い立った。

ライアの服を着るようになったのはそう言うわけだ。ラコステの水色のポロシャツとか、ピカピカの革靴を履いてるのをライアが見る時の、あの一瞬のにやけ顔。気づかないフリを押し通すのが一苦労だった。ある晩遅く、団体の仲間との飲み会から酔っぱらって帰ってきた時、ライアのポロシャツを脱ごうとして絡まったことがある。ベタベタの汚れた手がボタンのきっちり留まった袖口から逃れようと藻掻き、長袖が蛇みたいに腕を締めつける。

ライアは読書を中断して、僕を助けに来てくれた。ベッドに座らされ、ライアが僕の腕に指を這わせて、ボタンを外してくれたのが分かった時、酔いはもう吹っ飛んでいた。手首に触れるその手は人生で味わったことのない柔らかさ。生まれてから一度たりとも、食器すら洗ったことがないような、そういう手だった。ライアはズボンのボタンを先に外してから、ポロシャツの方も手伝ってくれた。

「ねえ、言われたことない?」僕はライアの手を握りしめて尋ねた。「…お前って、お前って、その…」

握った手が振り払われる。「酔いすぎ」と彼は言った。「寝ろよ」

その翌日、僕は手持ちの青いジーパンを履こうと思った。ここには二枚しかズボンを持ってこなかったし、もう一枚の方は昨日友達が吐いたよだれとかゲロの匂いが残ってる。下着姿を外界にお披露目する勇気のない僕は、授業にはそれを履いて行こうと思ったわけだ。シャワーを浴び終え、英語基礎の授業に遅刻しようとしていた時、ライアが折り悪く件のズボンを履いていることに気がついた。

「そのズボン返して」と僕は言った。「授業に遅れる」

「僕のを履きなよ」ライアは本から目を上げずに答えた。「起き上がるのだるいし」

目の端でドアを見やった。閉まっている。

「いいから返して、マジで遅れるから」僕は急かすように言った。

ライアは本を置き、僕を見上げた。両手を腰に持っていき、ボタンを外す。ライアがゆっくりとデニムを脚に滑らせると、その青い生地の下に薄褐色の肌が露になる。僕のズボンを完全におろすと、ライアは立ち上がって僕の目の前に来た。背丈がほぼ同じだと、ここで初めて気がついた。ライアの方がやせ型だが、身長はほんの一、二センチ高い。温かい吐息が僕の顔に重くのしかかる。その口にキスをした。下の方で腰が引けるのが分かるくらい激しく。ベッドに崩れたライアがシャツを脱ぎ、僕はその胸に下って唇で跡をつけ、そのまま下へ、腰まで下って、ライアを思い切り飲み込んだ。

ライアはすぐに僕の口から身体を離し、向きを変えてベッドの上に腹ばいになった。

「ゴムとオイル、引き出しの中だよ」彼は言った。

僕は、床に散らばった服の山に足をもつらせながら、それを取りに急いだ。ベッドに戻り、掌に彼の尻のしなやかな肉を感じる。入れようとした時、ライアが僕を止めた。

「違うよ、こうするの」

ライアが導いてくれた。誰かを開くやり方を見せてくれた。最初は一本の指で、次は二本の指で。ライアがもう大丈夫だと言った後、僕は彼の中にゆっくりと入っていくのを感じていた。こんなに気持ちがいいことはないと思った。こんなに暖かいものに包まれたのは初めてだった。骸骨のようなベッドが二人の下でうめき声を上げた。世界中にばれてしまいそうな音で軋むから、僕はひやひやした。

‡

単なるセックスだろ、と自分に言い聞かせた。僕はムラムラしていて、ライアもムラムラしていた。

それに二人とも、据え膳を拒むほどのプライドも恥じらいも、持ち合わせていなかったのだ。偶々だ。こんな言い訳は、授業がない時は大体この部屋にいるライアの方がしやすかっただろうけど。かたや僕は毎晩予定がみっちりで、ミーティングやオリエンテーション、時には家庭教師なんかもやって生活費を稼がないといけなかった。夜のアレにも金がかかるんだし。僕だって流石に、セックスが往々にしてその日最高の瞬間になることを否定出来るほど初心じゃない。実際常に心待ちに出来る数少ないオタノシミのひとつなのだ。僕は受け身なタチ役、ライアは積極的なネコ役、それでピッタリだった。早くする時、遅くする時、押す時、引く時、焦らすと時、握る時なんかも全部ライアが教えてくれた。パパのお屋敷で使用人にしてきたとかで、命じる役割に慣れていたのだと思う。僕の方もそれで全く文句なし。上手くいってた。

穴だけじゃなく、僕らの関係にも潤滑油が入り込んだみたいだった。廊下でぎこちなくすれ違うこともなくなった。ライアは朝食や昼食の時、南タガログの寮生たちと一緒に過ごすようになった。僕が「一度でいいから食堂で食べるか、一週間セックスなしか」と迫ったのが功を奏したらしい。存外、食堂のメニューが口に合ったようで驚いていた。お返しに、今度は彼が夕食に連れ出してくれる。テレビドラマでしか見ないような場所での食事だ。マキシモ、ウッデン・スプーン、コンティスといった店。ムール貝のパスタ、牛バラ肉、豚足を揚げたクリスピーパタ、マンゴーケーキ。ライアが食事代を払って、そして僕らはこっそりと寮に戻り、豪華なディナーの残骸でベタベタになりながらベッドになだれ込んだ。

学生団体の仲間が主催したパーティーからの帰りのこと(主催の奴が提案した馬鹿な飲みゲームのせいで膝が痛かった)。僕のベッドの上でライアが税制の教科書を見直している横に、小さな革製のノートを見つけた。ライアのかと聞くと、君のだよと言う。僕のは全部安くセットで売っているようなペラペラのノートだから、こんな革のなんて持っているはずはない。開いてみると、ライアの小さな滑らかな文字で献辞が書かれていた。

「イライジャへ、愛をこめて。二〇〇五年一月十三日　ケソン市にて」僕はベッドに近づき、彼のそばに座った。その背中に手を置く。

「こんなのまで、いいのに」と僕は言った。

ライアはベッドに座って微笑んだ。僕は息をするのを忘れていた。

「たいしたものじゃないよ」ライアは言った。「忘れ形見ってやつ、残しとくのが好きなんだ」

‡

彼がくれたもの。ジェイミー・オニールの『泳ぐ二人の少年』(名家カビテーニョ家についての歴史本だ)、イチゴの香りのする紙、ココナッツワイン。別にこういうプレゼントに、何某かの法則や暗号が隠されてる感じはしなかった。だけどライアは出来る限り、贈りもののどこかに献辞と日付を書きつけているみたいだ。僕らの部屋は、その筆跡のついたものでだんだん散らかっていった。

学年末を控えた三月のある日、夜の十一時過ぎに繁華街のクバオで足止めを食らったことがある。レストラン・バー・ジョバンニで食事と酒を楽しんだ後、僕らは大学に戻るために血眼でタクシーを探していた。ジェネラル・マルヴァって通りの真ん中に立つと、クバオの灰色の摩天楼に囲まれる。タクシーが二台走り過ぎて、ライアが止めようとしたけどダメだった。ライアは楕円形の花壇の縁に腰を下ろした。花壇の内側には、何キロも続く並木がある。

「このまま歩いて寮まで戻れればなあ」とライアが言った。

「足を血まみれにして朝まで歩けるなら、まあ、帰れるよ」と僕は彼の隣に座った。「強盗に会わずに済めばの話だけど」

「こんな遅くなったら管理人さんに怒られるよね」とライア。

「帰るから遅くなるんじゃない？　つまりね、一切帰らなければ遅くなりようがないわけで…」と僕は言った。

「一理あるね」ライアが答えた。「これからどうする？」僕は通りの向かいで輝く光を指差した。

この国一美味しい中華〝風〟料理のチェーン店の看板だ。警備員が客を出すためにドアを開けると、大量生産食品の独特のいい匂いが漂ってきた。

「ほら行こ」と僕は言い、立ち上がってライアの腕をつかんだ。

ライアを引きずるように道路を横切り、そのファストフード店に駆け込むと、入った瞬間にエアコンの冷風に面食らった。早く席を確保しようと列に並ぶと、ライアは入り口あたりで困惑した様子で店内を見まわしている。

「何、どうかした?」と僕は尋ねた。

ライア曰く、これは彼の人生初のファストフード店だということだ。僕は彼を一緒に並ばせて、自分でメニューを選ばせた。ライアはまるで無勉で期末テストに挑むような面持ちでメニューを読んでいる。ひどくやつれたレジ係が注文を急かすと、彼は困って口をつぐんでしまった。僕はチキンセットを二人分注文した。

席を探して歩いた。もう夜中の十二時だというのに、店内はまだ混んでいた。客の大多数は多分コールセンター勤務か何かで、休憩に来ているような雰囲気だったが、中には家族連れの姿もある。元気旺盛な少年が風船を片手にすれ違ったので、ライアはコーラの載ったトレーを危うく落としそうになった。風船の少年が今夜一番の脅威とは。ライアがひどい顔で僕を振り返るものだから、僕は笑わずにはいられなかった。

ライアも自分がさぞ変な顔をしているらしいと気づいた様子で、すぐに僕と一緒になって笑った。笑いながら階段を上がってみると、二階の客は僕らだけだった。窓際の二つの席に収まり、この区画の陰鬱な風景を見下ろす。煤けた色の建物が立ち並び、街灯が夜道に明滅し、ほぼ無人の往来に、時折友人やタクシーを探す歩行者の姿がぽつりぽつりと見えるだけ。ライアは幼い頃、寝室の窓からモンスターの一団が行進してくるのを想像して生活に刺激を与えていたらしい。怪物に気づかれないように息をひそめ、ベッドの中で指先ひとつ動かすまいとするうち、小さなライアは眠りに落ちる。チキンレッグを食べている彼を見ていると急に優しさが込み上げてきて、手を伸ばして油にまみれた彼の手をつかんだ。油とパン粉の屑を感じ、脈動がどんどん速くなっていく。ライアも手を離さなかった。

僕らは隅っこの、窓際の席にずっと座っていた。コーヒーとマンゴーサンデーを追加注文して、太陽が雲を突き破って、これ以上帰宅を引き延ばせなくなるまで。

‡

夏休みには、中国人の子どもたちに英語を教えた。動詞や時制の基本なんかを教えるだけのことに、びっくりするような金を払う親が大勢いるものだ。僕の口座の残高は四桁を数えた。父さんのクレカに甘えるタダ乗りマンから、ライアとのディナー代を自分で出せる人間への転身が実に楽しみだった。

休み明け、キャンパスに戻ってみると、ライアが寮を出て行ったことが分かった。ジョナ曰く、ライアの母親が寮の写真を見て、息子をこんな汚い場所には置いておけないと言ってカティプナン通りにあるおしゃれなマンションに引っ越させたとのことだ。その日のうちにライアからメールが来て、僕を招待してくれた。行ってみれば、想像よりも全然大したことないマンションだった。壁一面卵の殻みたいな白色で、風呂とベッドは寮のよりも少し大きいくらい。確かに寮の何倍も清潔だが、なんだか冴えない場所だった。部屋には、ベッドと、会計関係の本が置かれた机、それにランプとコーヒーメーカーだけ。僕は黙って残りの荷解きを手伝った。

引っ越しの手伝いが終わってしまうと、話題も思いつかないでベッドに並んで座り込んだ。ライアは天気のことなんか喋った。僕はなんだか同意した。夏休みはどうだったと聞くと、実家のテレビで古い映画を見ながらくつろいでいたと言う。

僕は漂う虚しさを埋めてしまおうと「いいな、そういう生活」と言った。想定より嫌味な響きになってしまったのだろう。ライアは苦い顔をした。

「それ、どういう意味」と彼は尋ねた。

「なんでも。何の意味もない」

「五月の最後にメールしたのに、返してくれなかったね」

「僕の方は忙しかったんだよ。教えてた子たちが夏期講習の最終試験でさ。別のことしてる暇なかったし」ライアは僕が言ったことを認識していない様子で立ち上がった。

「出かけよっか」と彼は言った。

カティプナンの長い道路は、止まないクラクションで飽和状態だ。タバコの吸殻が散らばったビルの狭い階段を登り、近所にある「アレンズ」というバーに出向いた。店内は、生ぬるいビール瓶を片手に、他人の身体の合間を縫って自分の席に戻ろうと蠢く獰猛な大学生たちで賑わっていた。スピーカーからはロックが流れている。僕らは誰もいない隅の席へ、押し合いへし合い向かった。ライアは指をくわえてテーブル上のケチャップのシミなんか見詰めていた。意地でもその景色から意識をそらそうと、僕は一番不味そうな飲み物を注文した。

「イライジャ」彼は僕に向かって言った。「一個聞いてもいい?」

「何?」「僕らって何?」音楽がロックからエレクトロ・ハウスに変わり、耳から体内に入ってくる。ビートに合わせ、こめかみにドッと血が流れ込んでくる。

「…なんで?」「母さんと話してたんだよね。夏休みに、ほら、帰ってた時に」ライアは言った。「ほら、…僕らのことをね」

僕は親にライアのことを一切話したことがないのに気がついた。ジョナ、ハイメ、レヴィのことは話した。社会学基礎の最初のテストに落ちたことも話した。体育の授業が別棟だったので迷子になった時のことも話した。だがライアの話をした記憶はなかった。

「母さんは、ほら、そういう古いタイプじゃないから、別に僕らのこと聞いて怒ったりはしなかったんだけど」彼は続けた。「未来の安定をしっかり考えなさいって、言われた」

「未来の安定? ライア、僕らまだ大学の一年目が終わったとこだろ」

「そういうことじゃなくて…」とライア。「僕の親、ほら、家族経営にこだわってて、だから、僕に色んなことを引き継いでほしがってて、それで…。でも僕は、出来るかどうか分からなくて…」

「ねえ、まだ起きてもいないことを考えなくてもいいんじゃない?」僕は尋ねた。「今はお楽しみの時期だよ」

「じゃ僕ってそういう存在なわけ」ライアは声を大きくした。「お楽しみ?」

周りの素面の人が僕らの席を振り向いていることに気づいた。

「落ち着けよ、そんな意味で言ってないって」「ああそう。もういいよ」と彼は言った。「僕が色々貢いでやらなかったら、僕らってこんな長続きしなかっただろうしね」

「は？　ふざけんなよ」僕は吐き捨てた。「ふざけんなよ、何言い出すんだよ。マジざけんなよ」

「お前がふざけんなよ」とライアは言い放った。「クソ、やってらんない。マジで無理」

音楽は耐えがたい音量になり、狭いバーの熱気と汗で息が奪われていく。ライアが立ち上がって歩き出した。会計を済ませてその後を追ったが、僕が無数の胴体に阻まれ肘に閊えるのを尻目に、ライアは階段を上る人の群れをすり抜けていくかのようだった。ビルのエントランスに着いた時、彼の姿はもう見えなくなっていた。マンションまで追いかけようかと考えて、きっと玄関の警備員に僕を追い返すように言伝てたはずだと思い至る。

寮に戻り、ライアの贈りものをすべて集めて燃やしてやりたい気持ちを抑えた。着替えてベッドに横になると、ライアとの今後の様々な可能性が頭をよぎった。謝るべきか？　あっちから連絡が来るのを待つべきだろうか？　花束でも持ってマンションに行こうか？　結局、僕は「こっちがライアに怒っているのだ」と結論した。そうだ、怒っている。あいつが悪いんだ。最初にキレたのはあっちだし、あんな嫌な会話のきっかけを作ったのもあっちだ。悪いのは向こうだという確信は固かった。握ってずっと持っていられそうなくらい、固かった。

でもまあ礼節だと思い、僕はライアに短いメールをいくつか送って「近いうちにもう一度ディナーを食べながら話そう」というようなことを伝えた。あっちから返信がなかったので、僕は出来る限り誠実にしたのだから、今度は向こうが自発的に動くべきだろうと決め込んだ。

何日も、何週間も過ぎた。時折キャンパス内で彼の姿を見かけたけど、僕は気取られないように反対側を見ていた。最後に送ったメールに返信が来ていないか、携帯をチェックすることもあった。でも音沙汰なし。「アレンズ」での出来事から一カ月ほど経った頃、その日の最後の授業中に携帯が鳴った。誰からだろうと思って教室を出てみると、それはライアからだった。僕は無視した。三十分後、寮に戻ると彼から七通もメールが届いていた。エルミタのバーで友人と待ち合わせていたが、どこかで道を間違えたのか、バスを間違えたのか、マニラの旧市街で迷子になってしまったという。もう日没が迫っているので、僕に迎えに来てほしいということらしい。

実際僕は行きかけた。マニラ鉄道を使ってキアポ市場とおぼしき場所まで行こうと思ったのだが、ライアは自分がどこにいるかも分かっていなかった。ただ、巨大な教会に向かっていると言っていたし、やたらと敬虔そうな人とか、民間療法をやる怪しい露店がひしめく場所で足止めを食らっているようだった。ライアは僕を必要としていた。それでも僕はそのメールを無視して、翌日の試験に備えて勉強した。電話がかかってきた。マナーモードにした。

‡

あの事件以降、ライアは僕に連絡を取ろうとしなくなった。確かに少しの間は、必要とされていた時に助けに行かなかったことに対する罪悪感があった。だがこの感情は、新学期になって押し寄せた授業や、新しい出会いの荒波によって息絶えてしまった。ジョナに最近ライアと話したかと聞くと、話していないと言う。僕はライアが寮の誰とも関係を絶ってしまったのだと考えた。最後くらいあのマンションに出向いて、きちんとケジメをつけようと思っていたのだが、ハイメが「あいつが筋肉質の大男と手をつないでいるのを見た」と言ってきたので、もう一度会ったって傷口を広げるだけだと思ってやめてしまった。

僕の人生は順風満帆だった。成績も上がり、頼りになる友達も出来た。毎日のように食事に出かけ、パーティに出向き、時には酔っ払ってキャンパスに戻り、並木通りの静けさの中をさまよいながら「人生最高の日だ」と大声で叫んだりもした。あの鬼教授とも仲良くなり、面談も楽しめるようになっていた。教授は四年目の卒論で僕を指導してくれることになった。

ある夜寮に戻ると、警備員の女性が「預かりものですよ」と声をかけ、白い封筒を僕に手渡してきた。開けてみると、イチゴの香りがする紙が入っていた。ページ全体に、あの小さな滑らかな文字が書かれている。読んでいくうちに、足が馬鹿になって座り込んだ。寮のロビーは学生たちのおしゃべりで騒がしい。読むにつれ、吐息が大きく、激しくなっていく。読み終えた僕は、この手紙を三つ折りにして財布の中に入れ、身分証明書や両親の写真と一緒に仕舞った。

やっと人生が始まった、その翌年のこと。僕はもう、哀れな抜け殻になってしまったのだと気がついた。あんなに得難くて尊いものを、みすみす手放してしまったんだから。

★南タガログ▼ルソン島でもマニラ以南の地域

バナナに関する劇的な話

ディノ・マホーニー

その女性（ひと）はエレベーターを降りた先にいた。小さな顔を険しくしわくちゃにして、鉄色の髪を高い位置で結って、三つ編みにしてまっすぐ後ろに流している。広いオープンルームで、食事用の椅子に固定されたトレーを前にして座る古代人の列。その先頭に鎮座するのが彼女だ。ビジネス街の上環（ションワン）での送別ランチ会が予想以上に長引いたのに、その上ここへ来る道中、あの大牌檔（ダイパイドン）★に寄ってお菓子や飲み物を買っていたら、もうずいぶん遅れてしまった。

甥である彼らに少し先に行ってもらう間、ぼくはエアコンの送風口の真下で涼むことにした。

「サムイーマ、レイホーマ?」三番目のおばちゃん、元気?　とビンはその健康な耳に顔を近付けて叫んだ。エドモンドは笑顔で手を振ったり、一生懸命うなずいてみせたりしている。

「ライジョンドー、ライジョンドー!」ビンが叫んで、しわくちゃの顔の前に小さな白いビニール袋をぶら下げて見せた。練乳とジャムのサンドウィッチ。おばちゃん大好物。なのにおばちゃんは、袋の中身が犬のウンコだとでも思っているかのように嫌がる。

「ワントンミン、ヒービナァァ」私の海老餃子はどこ、とおばちゃんは叫ぶ。

「インユェン」エドモンドが食事用のトレーに蓋付きのボトルを置きながら知らせた。コーヒーと紅茶のミックス。おばちゃんの大好物。

「フォンジュ、ヒービナァア!」おばちゃんはインユェンの方は完全に無視して要求を重ねた。私のバナナはどこ!　兄弟たちは顔を見合わせている。きっと車の中に置いてきちゃったんだ。エドモンドが走って取りに行った。

「ジュカンチュン!」バカブタ!　おばちゃんはエドモンドの背中につぶやいた。

あまり元気がないみたいだ。もうしばらくは会えなくなってしまうのに。そこでビンは切り札を使うことにした。

「サムイーマ、ハロー・ライ、ジョタンレイ」

おばちゃん、ほら見て、ハローが会いに来てくれたよ。

おばちゃんが目を凝らすと、さあぼくのお出ましだ。ピンクのポロシャツ、カナリアイエローのカーゴパンツ、白のレザートレーナーに身を包んだ、巨大な汗っかきオバケ。ぼくは指をヒラヒラと振って、女子高生のような高い声で「ハロー、おばちゃん」と呼びかけた。その沈んだ口元に花が咲き、笑顔になる。あの子だ！　ハローだ！　ビンの友達の、太った外国人！

「ヘルォオ！」おばちゃんは植民地時代の訛りの、最後の音節を妙に伸ばした広東アクセントであいさつした。

「ハロー、おばちゃん」とぼくは返し、前進しておばちゃんの華奢なてのひらを、湿ったどでかい前足で包みこんだ。

「ヘルォオ」と繰り返すおばちゃんは、ぼくを見上げて目を輝かせた。

「ハロー」見下ろしながらぼくは答えた。

おばちゃんとぼくは、こうしてあたたかなあいさつの余韻に浸っていた。おばちゃんは隣の椅子に座っている女性を横目で見やった。あの人、私の外国からのお客人に気付いたかしら、と。この女性は目を大きく見開いてぼくらを見つめていた。ラウさんと一緒にいるあの外国人は誰だろう、あんな大きくて珍しい人間が、ラウさんに一体なんの用事だろう、きっとそんなことを考えて。
　おばちゃんは自分の隣にあるプラスチックのスツールを手で示し、ぼくに座るように促した。ビンはとんでもないとばかり、別の椅子を探そうとしてくれる。だけど、折角おばちゃんがかわいい赤ちゃん用スツールを勧めてくれたんだし、断るのも悪いかなと思ってそっちに座ることにした。それでぼくは、百四十キロの巨体をそのちいちゃなクッションに収めようと試みる。子供用のスツールがぼくの体重を受け止めきれるはずもなく、その短い脚が軋んで開いていく。ぼくはおばちゃんの座る高椅子を慌てて引っ掴み、おばちゃんもろともぼくの方に傾けた。かくしてぼくは空気椅子、スクワット状態に相成った。おばちゃん皇太后さまが優雅に見下ろすお足元に、その寵愛を受けし宮廷人のぼくが…空気椅子でしゃがんで…そして飛びのいた。素敵な池ができていたから。皇太后さまが驚きあそばした拍子に、その、御おむつに…いや、と思うんだけど、あんまり言いたくないからいいや。

‡

　ビンがバナナを持ってきてトレーに並べた。バナナ。黒い斑点の付いた曲線美の集団。果物王国版、最強のタランチュラ。おばちゃんは過剰なくらい完熟のバナナが好きだ。歯茎だけでも食べられるくらい柔らかいなかにも、食感に食べ応えのある完熟バナナ。でも、そんなことより客人第一というのがおばちゃんの揺るぎない信条らしい。それは昔、ご主人一家のくつろぐ間、その背後で一人あくせく働き尽くした、そんな人生の名残だ。おばちゃんは優雅な微笑みを浮かべながら、この果物をぼくに押しやってくれる。バナナの黒い先端が、トレーの縁を威嚇する蜘蛛の脚のようにしなる。以前、古いマンションの密集地、鰂魚涌（クオリーベイ）の小さなアパートによく訪ねていた頃は、いつもオレンジやボンタンを出して、いたずらっぽい笑顔で歓迎してくれた。ビンの両親がぼくを冷たくあしらうなか、おばちゃんの果物はほんとうに甘く、美味しかった。家族と友人への歓迎の味。まさかぼくらが形式上親類になってることなんか、おばちゃんは今も昔も知らないけど。おばちゃんにとってのぼくは、つまり、一番上の甥っ子の友人。「あの外国人」だ。他の可能性？　例えば？　甥っ子の夫？　そんな突飛なこと、考え付くわけない。

‡

　裂け目からベトベトと中身が漏れ出しているバナナを、ぼくはじっくりと切り分けた。「ドージェ、ドージェ」丁寧にお礼を言いつつ、果物をショルダーバッグに入れてしまおう。しかしおばちゃんは、まだら模様のしわくちゃの手を、口元に付けては離すジェスチャーをした。今食べてほしいんだ。

仕方ない。ぼくはまたバナナを取り出し、おばちゃんに見守られながら湿った厚い皮を剥いて、端っこのモサモサした部分を噛み切った。

前にここに来た時、この介護施設の職員が教えてくれたことには、入居者の一人がバナナを食べて窒息死しそうになったらしい。それで今度から入居者がバナナを食べる時は親族がすべての法的責任を負う条件で、厳重な監視の下でのみ許可されるということだ。だから、ここの人たちは普段はバナナを食べられない。これを用意してあげると、おばちゃんは亀みたいに、歯のない口をパカッと開けて待ち、ビンが安全なように細かく切ったのを一切れずつ食べさせる。快楽主義者的な、恐ろしく野蛮な勢いで、おばちゃんは歯茎で噛み、食感を楽しみつつ果肉を舌にぬりたくっている。いまだ衰えず、おばちゃんの脳に幸せを運ぶことができる唯一の臓器だ。味わいながら、おばちゃんはぼくに悪ガキのようなにやりとした笑みをよこした。美味しさの溢れる悦びで瞼が下がって半目になってる。ぼくは同じような、絶頂めいた顔で応えて見せた。ぼくの口の中は空っぽだけど。

まさにその時、このパラダイスにトラブルが起きた。おばちゃんが喉をつまらせてしまったのだ。ビンはすぐに曲げた人差し指でおばちゃんの口の中の果肉をすくい取り、エドモンドは急いで水を取りに行く。この騒ぎに乗じて、ぼくは自分のバナナをショルダーバッグに全部隠した。食べた証拠に皮を置いとこう。咳きこみは治まった。しかしこんな状況になっても、ぼくが先に飲むのを見届けないと、おばちゃんはインユェンを受け入れない。エドモンドがカップを探しに走り、持ち手の二つ付いた、離乳食を入れるようなやつを持って戻ってきた。

ぼくはおばちゃんにそのボロボロの聖杯を掲げる。

「ドージェ、サムイーマ」ありがとう、三番目のおばちゃん。

一口飲むと、ものすごく甘い紅茶にまじって漂白剤や溶けたプラスチックの味が分かる。小袋六つ分の砂糖入り。それがおばちゃん好みの味。

「ホセカ」とってもおいしいよ、とぼくは嘘を言い、聞き分けのいい少年のようにおばちゃんを見上げた。最早頭を撫でてくれないかなと若干想った。そうしてぼくらは共にお茶を楽しみ、一口する度、お互いにうんうんとうなずき合った。

‡

バナナと紅茶コーヒーでリラックスしたおばちゃんは、練乳とジャムのサンドウィッチを食べる準備ができたと言う。ビンはビニール袋からそのベタベタの三角を取り出し、細い指で慎重に角を切り取った。おばちゃんは口に手を当てて待っている。

「ベイハロー」ハローにあげて。おばちゃんは、指の隙間から言った。

ぼくはベトベト三角を受け取り、お上品に一口食べてみせる。

「ホセカ」とってもおいしい。これはホントに結構おいしい。おばちゃんが最初の一口を食べる前に、ぼくは失礼して二口目を食べちゃった。ジャムサンドを食べながら、ぼくらは真夜中にコッソリお菓子を食べる子供みたいに共犯の目配せを交わす。食べ終わると、もろくてすぐバラバラになっちゃうような安いトイレットペーパーでベタベタの指を拭いた。

‡

おばちゃんは今、世間話に花を咲かせてる。

「ハロー、ギートジョーファンメイ?」「結婚はもうしてるの?って聞いてるよ」何回同じこと聞かれただろう。何回答えても、おばちゃんは忘れてしまう。取り巻きに自慢しているのを聞くに、ぼくがあの有名大学で働いているっていうのを忘れたことはないようだけど。「してるよ、おばちゃん」ぼくは言いたかった。「ぼくは結婚しています。おばちゃんの甥っ子の色男ビンとね、二年前にロンドンで結婚しました。エドモンドとメイも来てくれたんだよ。メイは真っ白なチャイナドレスを着てたよ。とっても綺麗だったから、披露宴のウェイターの人がメイの結婚式だと勘違いしちゃったんだって」だけどもちろんこんなことは言わない。もしおばちゃんが違う時代に生まれていて、おばちゃんの方がアウトサイダーだったら言っていたかな。そうならきっと、おばちゃんも笑ってくれたと思う。ぼくは代わりに、曖昧で不確かな感じに絶妙に頭を揺らして、どうとでも取れるような動きをした。恥ずべきことみたいに自分を偽る危険性を知っているからだ。どんなに小さな否定でも、それは自己嫌悪になって返ってくる。でもおばちゃんを脅かしたくもないから、ぼくは首がバネになった犬みたいにランダムにぶらぶら揺れた。

実はビンはすでにおばちゃんにもカムアウトしているんだけど、これも覚えていないらしい。昔、ある朝おばちゃんはぼくらのアパートに現れ、廊下でうろうろしながらセキュリティアラームを鳴らしていた。文字が読めない人だし、道路標識も読めないはずなのに、どうやってあの場所が分かったのかいまだに謎だ。ぼくは急いで講義に出かけ、ビンにおばちゃんの相手をしてもらった。でもビンだって仕事に行かなきゃいけなかったはずだ。ビンが言うには、おばちゃんは部屋の中をじっくり見て回っていた。置物や写真を持ち上げて見てみたり、カーテンの裏を見てみたり、戸棚を開けたり、トイレの水を流したり、ガス台のスイッチを入れたり、寝室のダブルベッドを見てみたり。

「ハローはどこで寝るの?」

間。

「そこ」

間。

「ビンは？」

間。

「そこ」

間。

「一緒に？」

間。

「うん」

間。

「…暑くない？」

間。

「たまに暑いよ」

そして、おばちゃんはお湯を一杯飲み、帰っていった。

‡

エドモンドが時計を確認し、ビンに目配せをした。メイを買い物に連れて行く約束で待ち合わせしてるんだ。「そろそろ出た方がいいな」とビンが言う。ぼくらは別の友達と最後のお別れをすることになっていた。ぼくらの飛行機は真夜中だから、ちょうど予約を捻じこめたんだ。

おばちゃんの椅子のふちを掴んで、ぼくは立ち上がった。するとおばちゃんはみるみる縮み、皇太后さまは老人ホームの小さなおばちゃんに戻ってしまう。ぼくらが香港を去ることを、ビンはおばちゃんに言っていない。悲しませたくないのだ。おばちゃんが気付かないで済むくらい、しょっちゅうこっちに戻って来たいと思っていた。いない間はエドモンドとメイがおばちゃんを見守ってくれると思うしかないけど、メイはおばちゃんに「いつ子供を作るのか」って毎回大声で催促されるのを嫌がって、足が遠のいていた。

そこにただ座っているおばちゃんを見やる。一人じゃ歩くことはおろか、自分の世話さえできず、きょうだいは皆もう死んでしまって、見舞いに来るのは甥っ子とぼくだけ。可哀想なおばちゃん。生涯独身で、貞操を示す三つ編みのおさげを揺らし、メイドとして四十年以上仕えた裕福なあの家族の幸せを願う人生だった。長年仕えた金持ち一家は、今どこにいるのだろう。彼女の人生で一番輝かしい時間を捧げた家族は、今どうしているだろう。手ずから着飾らせ、食べさせた子供たちは、もう結婚して自分の子供を持っているだろうか。きっと港の絶景をのぞむ豪華なマンションに住んでいるに違いない。

あのメイドがどうなってしまったか、考えたことがあるだろうか。子供たちが皆結婚して実家を出た頃、メイドはやっとその任と鎖とを解かれた。けれども彼女にはもう行き場がなかった。団地に小さな部屋を見つけ、清掃をしたり、段ボールを集めて売ったりしてやっとここまでたどり着き、エバーグリーン・ケアホームの九階で、見知らぬ人たちに囲まれてその晩年を過ごしている。そして今、甥のビンも立ち去ろうとしている。友達のハローも連れて行ってしまう。ぼくらはおばちゃんを連れて行こうかとも話していたけど、考えはじめるのが遅かった。おばちゃんの旅路はとうに終わっていたのだ。始まってすらいたかどうか。一度だけ、香港島から新界へ旅をしたことがあった。それで最後。

「ガマン、フェイゲイ」今日の晩に空港でね、ぼくはおばちゃんの健康な耳に叫んだ。机の上のトレーに、飛行機に見立てたてのひらを添わせ、滑走路からぐいっと離陸させる。「びゅーーーん、さ」おばちゃんの顔がぱあっと明るくなった。正解が分かった小学生の女の子みたいに、おばちゃんはその小さな手を頭上高くに上げ、「ワァー！」と言う。おばちゃんが飛行機に乗ってどこかに飛び立つことができたら、老いも失禁も捨てて、若くて夢に満ちた一歩を踏み出すこともできるんだろうけど。でも、旅路はあまりにも遠い。エドモンドは「バイバイ」とおばちゃんの顔に向かって力強く手を振り、エレベーターに向かって歩き出す。今度来る時はきっと一人だ。

おばちゃんの小さなまだらの手を握って、ぼくは切なく「ハロー」と言った。

「ハロー」おばちゃんは侘しそうに返した。

「ごめんね、おばちゃん。本当にごめんなさい」

おばちゃんはもう、ぼくの後ろで夕食用のワゴンが動きはじめる様子を見て、ご飯や野菜の茹でられる匂いに気を取られていた。ぼくが隣の高椅子の女性に目を留めて少し微笑むと、この女性は突然あのプレスリーの名曲を歌い出した。「ラブミーテンダ、ラブミースウィー…!! ネバ、レミィゴー…」

かくしてぼくは、ゲリラミュージカルの世界に迷いこんだ。高椅子に座った老婦人が、夫の叔母を訪ねてきたゲイのガイジンにラブソングを歌っている。

「ユーハブメイマイライ、コンプリー、エン アイラブユーソー」「しー!」おばちゃんが老婦人に噛み付く。

「ラブミーテンダ、ラブミートゥルー、オーマイドリームフル…」おばちゃんがついにトイレットロールを投げ付け、それが床に転がって解けていく。通りかかった介護士さんがそれを拾う。ビンが謝る。

ここに来たばかりの頃、おばちゃんはよく世話に来た介護士を箸で突いて逃げようとしたものだ。ビンの交渉術がなければ、今頃追い出されていただろうと思う。

「ダーリン、アイラブユー…」「ラッサップ、ラッサップ！」くだらない！　おばちゃんは叫んで、蚊のようにその曲を叩いて追い払う仕草をした。介護士さんが、今おばちゃんの好物であるゴーヤとご飯を用意しているからねと伝えてくれる。

歌手は最後に「エンドアイ、オーウェイズ、ウィー…」と、震えるような音で歌い終えた。

ぼくは思わず、両手を広げてアザラシみたいに拍手をした。「ブラボー！」オペラ劇場のスタンディングオベーションに加わるみたいに、全身で賞賛した。介護士さんも拍手をして、老婦人をねぎらいに行ってくれた。おばちゃんに微笑みかけ、この歓迎ムードに加わってくれれば…と思ったのに、おばちゃんは怒ったように反対を向いている。

「おばちゃん？」ぼくはその手を取って言う。おばちゃんはそれを振り払った。「ハロー？」ぼくは精一杯、白馬の王子様感を出しながら繰り返した。

おばちゃんはぼくを見ようともしない。やってしまった。もう機嫌を取るには遅すぎる。全部台無し、せっかくの訪問も無駄になっちゃった。

「彼女は、きっと疲れています。次、来ると大丈夫です」と介護士さんがぼくに言った。ぼくはすっかり肩を落として、エドモンドの待つエレベーターへ歩いて行った。振り返ると、ビンは手を合わせ、母親の姉に深く頭を下げている。

‡

出入口近くの壁に設置されたディスペンサーから消毒用の泡を手に吹き付け、ゴシゴシとこすり合わせてから、蒸し暑い中を車まで戻り、上環まで走らせた。

‡

その晩、ぼくらはロブスター・ヌードルで腹を満たし、スパークリングワインでほろ酔いのいい気分で、出発前の最後の一杯を飲みに出かけた。お気に入りのゲイバー「ZOO」で、お気に入りのライチダイキリを飲む。友人たちはぼくらをしつこく引き留めた。

「薄情者！　アタシら置いてどこ行く気よ」

「こいつらのチケット破いて捨てちゃって！　今夜は帰さないから」

「ご一緒したいけどね、向こうで仕事が……」

「うるさいね、家に監禁してやろうか」

「やだ、イクって言うまでが鞭打ちの刑よ～」ヴィンセントがぼくを鞭打つ手振りをして、皆が笑う。

「行かないって言うまで鞭打ちの刑～」

「あ、地下牢に繋いじゃいなさいよ」

その後、ＤＪが今晩最初のセッションを始めると、ぼくらは全員立ち上がった。中国人、イギリス人、オランダ人、フィリピン人、虹色ダンスクイーンの集まりだ。ぼくが、バーが、世界が回ってる。誰かが肩を掴んで揺らしている。気付くと、ビンが腕時計をぶんぶん振り、爆音の中叫んでいた。ヴィンセントがビンの時計を手で覆う。ビンはぼくの耳元に来て「十時だ！」と大声で言った。別れのキスを投げて急いで退場する。荷物のチェックインは済んでいるから、あとはそれをぼくらが追いかけるだけだ。前を走っていた女の子のグループを追い抜き、タクシーに乗りこんだ。「フェイゲイ！」空港！

ビンは面接を控えてるし、ぼくは新しい大学のレポートがある。もっと何日も早く出発すればよかったんだけど、やることが多すぎたんだ、友達にもさよならを言いたかった、…おばちゃん。

‡

波打つような形の空港の屋根が見えてくる。タクシーが停車すると、ビンは運転手の手にお札を押し付け、巨大なコンコースの滑りやすい道を風のように走った。ぼくも高速版の歌舞伎の飛び六方みたいにドスドス後を追う。

「搭乗口しまっちゃうよ、急いで！」

「パスポートのご提示をお願いします」

聞いてショルダーバッグをがさがさ…うげ、何これ!? ぼくは手を引っこめた。

「おい何してんの!?」二本の指でパスポートを摘まみ上げ、カウンターの上に慎重に置いた。バナナのぬめりで全体が見事に覆われている。ああ麗しきキャセイの搭乗アシスタントさん、メイクもばっちりの完璧な職業人様が、こんなものに触れる事件なんか一万年に一度とないだろう。ごめん。

「本当にすいません。ただのバナナです…取り出すのを忘れてて」

ベタベタのパスポートの身分証明のページを開いてみれば、そこにもドロドロが付いている。ぼくはポロシャツの裾でもってページをよく拭いて、ダメ押しにズボンで磨いた。

「お客様、これをもって当便の最終ご搭乗とさせていただきます」

‡

飛行機が上昇して西に旋回すると、大好きな高層ビル街のライトアップを眼下に見下ろせる。

旅立つぼくらの背に雲がかかり、やがてあの光は見えなくなっていった。ぼくは愛する人、ビンを隣に見た。ビンの美しさと辛抱強さには驚かされてばっかりだ。腰を落ち着けて、飲み物の台車を待った。

手や服からバナナの匂いが漂ってくる。おばちゃんの、決意のこもった小さな顔。危うくぼくらを足止めするところだった、バナナ。「ワゥーー!」おばちゃんが言う。「ワゥーーー!」ぼくらと一緒に飛びながら。

★ 大牌檔▼香港に点在する屋台の立ち並ぶエリア

★★ 新界▼一八九八年以降に租借された地域。ニューテリトリーとも

ハートオブサマー

ダントン・レモト

四月初日、僕ら一家は、首都圏リサールの州都アンティポロに丘を切り開いて作られた分譲地にあるテラスハウスに引っ越した。「テラスハウス」というのは、たった百平方メートルの敷地に収まる奇跡のような狭さの居住地を、良さげな雰囲気で呼ぶための単語である。川岸の近くに建てられた、マジでマッチ箱みたいな家だ。村の中心地には、もちろんもっと大きな家々が、チャペルの傍にそびえて並んでいる。僕らが借りたのは村長の愛人の持ち家。僻地に三つ持ってるうちのひとつ。

リビングルームとキッチンは繋がっている。家には小さな部屋二つしかなかったが、僕らにはそれで十分だった。ケソン市のプロジェクト・フォー区で借りていたアパートの大家が、ある日「アントニーナ・ラクイーザ博士（ＰｈＤ）」という仰々しい送り名で、警告めいたピンク色の便箋を送ってきた。「月の家賃を五千ペソに値上げする。同意できなければ二カ月以内に退去せよ」という内容の脅しみたいな手紙だ。ママはこの手紙を睨みながら、大家さんのお父さんの悪口か何かをぶつぶつ言ってたみたい。その翌日、ママが新聞広告に出てる中から郊外の安い物件を探し始めた。家賃が上がるとなると、サウジアラビアでエンジニアをしているパパの仕送りだけじゃ苦しい。甥や姪の学費も僕らが負担しているんだし。「ノブレス・オブリージュ」と言えば聞こえは良いが、実際には「持てる者の（ノブレス）」の部分が「社会的責務（オブリージュ）」を上回ることはない。そういうわけで僕らは、アンティポロの僻地に引っ越すこととなった。

とにかく暑くて長い夏だった。果てしなく暇で、無限に広がる砂漠のような日々。午後になると、暑さがムチのように肌に降りかかってくる。村の貯水池の水は、引っ越してきた翌週から涸（か）れ始めやがった。それで家政婦のルディと僕は街角の消火栓から水を汲まなきゃいけなくなった。夏の勉強は嫌いだと思ってたけど、こうなると今回ばかりは大学の夏期講習の初日を楽しみにせざるを得ない。

その夏はルディも南部のアルバイ州に帰ってしまったので（彼氏を作ったり、お祭（フィエスタ）でフラメンコを踊ったりするため）、家事は僕がやっていた。ママは毎日ピアノのレッスンのために家を出てるから、洗濯と昼食の準備は僕の担当。午後になると洗濯物をとりこむ。丘の上は信じられないほど暑いので、速攻で乾く。洗濯物をたたんで仕分ける間、テレビでニダ・ブランカとネストル・デ・ビラという鉄板の男女俳優ペアの古いミュージカル映画を観ていることもある。時間があれば、エストレラ・アルフォン★の小説を読んだり（『マグニフィセンス』が定石）、白い画用紙に顔や景色を描いてみたりすることとも。

夕暮れ前、空が群青に染まる頃になると、赤いプラスチックのペール缶を手に五軒先の街角まで歩いて水を汲みに行く。列につくと、ドラム缶やペール缶、上半分が切り取られたガソリン容器なんかでいっぱいの、木製の台車のすぐ後ろに並んだ。僕はこのペール缶ひとつだけど、ビビりなので「これしかないので先に行っていいですか？」なんていうのは無理。ガッチリした体格の、背の低い男達がお互い胸を小突き合いながら喋っている。「よう、『壁越しのあなたへ』ってピンク映画でさ、ウォッカ・バナナちゃんがまたヤバかったんだよ、あの子のアレ……」

一方女性達は女優のゴシップでもちきりだ。「シャロンの脚、見た？　あの太ももったら洗濯板みたいにボコボコで……」こう言ったのは、太腿に網目のように浮き出た静脈瘤が印象的な女性だ。

待つこと小一時間、ようやく僕の番が来た。消火栓の前に進み出る。開いた口からすごい勢いで水が出て、いくらかペール缶の口で跳ねてビシャビシャと円を描くように飛び散り、乾いた土の上に泡になってこぼれた。家に戻って慎重にドラム缶に水を注ぐと、僕は街角に戻る。またもう一周。

道中、丘の上はもう暗闇に覆われつつあった。スターアップルの枝には鶏が寝床を作り、蝉があの単調なソナタを奏で始める。街角につくと、若い男性が列の先頭に立っていた。さっき汲み終わったときには会わなかった人だ。きっと列の待ち時間だけ家政婦に代わらせて、順番が来る頃に戻ってきたのだろう。

そのくしゃくしゃ頭に夕暮れが朱を落とす。滑らかなナッツブラウンの肌。目はビー玉のようにくりくりだ。マプア工科大学、とシルクスクリーンで印刷されたあずき色のTシャツを着て、黒のデニムを履いた長い脚の先には、アワートライブというブランドの茶色のレザーサンダルを履いている。

列の最後尾にいる僕を見て、彼は僕のところまで歩いてきてこう言った。「よう、ねえ君。それひとつしか持ってないんだろ。先に汲んできていいよ」クールで深みのある声。僕は「ありがとう」と言って彼に微笑みかけ、その後に続いて消火栓まで歩いた。すね毛のもじゃもじゃ生えた脚をじっくり観察する。彼がこっちを見ると、僕は視線をそらしてペール缶の中に渦を巻いて流れ込む水を見つめた。やがて水が缶の口をあふれて滴り落ちていく。僕は名乗って、もう一度お礼を言った。彼は自分の名前をつぶやいて応えた。僕はまた微笑んで、そして立ち去った。立ち去っとかないと、思わずリチャードに愛の告白をしてしまいそうだった。思いやりのある人間だし、おまけに脚はムキムキで、足の爪まできれいだったから。

‡

その夏、我が家のバミューダ芝が茶色くなってしまった。プロジェクト・フォーの頃のような親しい感じのご近所付き合いができたらと思ってやってきたが、期待外れだった。左隣に住んでいるのは、子供のいない若い夫婦。他のどの家庭とも同じく、ここも一人二職の共働きで殆ど留守。この二人に会えるのは日曜日のミサくらい。右隣には老夫婦。マリベルという名前の十代の娘さんがいる。マリベルはクロップ丈のシャツとえらく短いホットパンツ姿で、いつも自転車で村を走り回っている子だ。その父親はブルドッグのような顔をした大男。この人が吠えると…というか、喋ると、その声が庭中に響き渡った。

クバオのミニバスのバス停は、環状高速道路のすぐ裏の大きな廃墟の車庫の隣にある。地面の硬い土の上にこぼれた油が広がって、世界地図の大陸の黒いシルエットみたいに見えた。

その夏、僕は二コース受講した。ビジネス統計学と財務会計学。イエズス系の大学で経営学を学ぶのは、単にパパがそれで金持ちになれると言ったから。本当はやりたいことなんてこの世にただひとつ。絵を描ければ僕はそれでいい。紙に鉛筆で顔を描いたり。水彩絵の具で虹のような多彩な色を染み込ませて、海や空の無限の青を描いたり。

だけどビジネススクールに行かなきゃいけない。昼食をとった後、一時には家を出た。相乗タクシーに乗るのも手だけど、マッド・マックス気どりの運転手の怒りの運転で命を落とすリスクを負うよりは、とろくさいミニバスに乗る方が得策だと思う。なにせあいつら、マッド・マックスよりも狂気（マッド）がマックスなのだ。マジで。

授業が始まった最初の週、僕はまだ家から学校、学校から家という往復の面倒くささに慣れていなかった。プロジェクト・フォーではもっと楽だった。ケソン市の繁華街クバオ行きのバスに乗って、クィーン・スーパーの裏で降りて、それで家まで歩いて帰れば終わったから。

ここじゃ、ミニバスが乗客でいっぱいになるのを待たなきゃ出発すらしない。通りには行商人がひしめいて、ありとあらゆる物を売っていた。海鮮野菜炒め（ピナクベツ）に最適の新鮮なカボチャ、尖ったオクラ、ニュージーランド産のリンゴ、尻ポケットに偽ブランド名入りのジーンズ、赤インクの見出しを七十二ポイントのタイムズロマンに拡大しただけのタブロイド紙（「デパート更衣室の惨劇／大蛇ボアコンストリクター／着替え中女性を丸呑み」）。食べ物屋も、レモン粥に浮かぶ牛のモツや、オレンジ色の小麦粉をまぶして茶色く揚げたうまれたてのヒヨコなど、とにかくなんでも売ってる。そして空気中には、フェルディナンド・マルコス家がこの国を搾取する際に撒き散らかした、黒い排気ガスが満ちていた。あの男は独裁政治で、あの女はダイヤモンドとお涙で、この国を散らかして去っていった。

僕はどんなに全てから逃げ出してしまいたいと思っただろう。ここにはマジで何もない。この街にも、この国にも、あるのは漏れ出した油の分厚いブラックホールばっかりで、一度吸い込まれて溺れたら出られない。どこかに去ってしまいたい。でも行くあてなんかない。僕は教科書を開いてそこに集中しようと思った。ミニバスのチラチラした明かりじゃ、弱すぎて何も読めなかった。

そんなある夜、ふと顔を上げるとちょうどリチャードが入ってくるところだった。白いシャツをタイトジーンズにタックしていて、シャツの内側に胸筋の曲線がうっすらと見える。片手にT字定規と、もう片方の手には二冊の分厚い本を持って、その広い額にはしわが寄っていた。僕はリチャードがよく見えるように座席の右側に移動しながら「何か嫌なことがあったんだろうな」と思った。横に座ってもらいたかった。腕や太ももの温もりを感じてみたかったし、それに話を聞いてあげたかった。でも代わりに僕の隣に座ってくれたのは、ものすごい口臭の男性だった。

やっと運転手が帰ってきた。エンジンがスパーッと唸り、狭い道を這うようにゆっくりと走り出す。街角が近づくと、食べ物の匂いとともに屋台の人々の声が流れ込んできた。鶏のモツの炭火焼!(子宮内避妊用具！）　鶏の足の炭火焼！（アディダスのスニーカー！）　鶏の頭の炭火焼！（ヘルメットが安いよ！）

だんだん大きくなる業者の叫び声の合間に、警察官の笛の音が響く。笛の音を合図に、店主達は商品を手に取り、四方八方に散っていった。炭火が暗闇に不気味に光る。

‡

ママが育てた蘭を眺めて、庭の前に座ってみる。友達に頼んで譲ってもらい、それは大事に育てたという苗木が今ではすっかり成長した。肌みたいに滑らかな葉が艶めき、花はマゼンタや琥珀色の斑点の花びらを、午後の枯れかけた太陽に向かっていっぱいに開いている。

花びらが開くにつれ、僕は人間の手足が茂る森の中に迷い込んでいった。体毛のワカメがあの手足を包み込んでる。男物の筋肉質な太股が川の石みたいに滑らかで、逆三角形の身体は汗で光っている。瞳の形の葉っぱが股間を覆っている。けどその下には確かに息づくモノがある……。

僕は仰天して目覚めた。時計を見ると、光る針は真夜中近くを指している。背中に汗がにじんで、部屋は耐え難いほどの熱気で満ちていた。しばらく動けずに固まっていたが、やがてあの夢は遠ざかり、僕はまた独りになる。

部屋を出てキッチンへ向かった。灯りをつけて、ライスコーヒーを淹れる。ライスコーヒーっていうのは、焼いた米を煮てコーヒーみたいにしたもの。カップを手に、僕は玄関のドアを開けた。乾いた空気が肌に触れる。階段に腰を下ろすと、床のセメントはひんやりとしていた。左には、隣家のムラサキソシンカの木の骸骨のような枝のシルエットが、月をバラバラに砕いているのが見える。

雨が迫っていることは、音より先に匂いで分かった。音の方はずいぶん遠くから聞こえてくるらしい。名前を呼ばれているような気がした。刻々と大きくなる音に急かされ、カップを踊り場に置いて立ち上がり、裸足で庭に走り出る。家が、庭が、村が、緊張の面持ちでそれを待っていた。

やってきた。夜空に小さな穴をうがち、屋根を鳴らし、花や葉を叩き、雨が降ってきた。アグア・デ・マヨ！　ああ、五月最初の雨だ。

暗闇の中、その指が髪や顔を撫でる。瞼、耳たぶ、唇を舐める。僕は口を開き、雨の舌を受け入れた。その指が僕の腕の内側や胸を撫で、唇が乳首とへその周りをねぶって、僕の内側のあたたかい部分にキスをする。地面から、麝香（ムスク）のような熱が足の裏へ伝い、身体を熱して毛穴から外へ出ていく。束の間の出来事が、突然、だけど美しく、僕を貫いていった。

やるべきことは分かっていた。風呂で、石鹸で肌をきれいに洗い流して、肌触りの柔らかい、いいにおいの新しい服に着替える。そして、引き出しの中にある画用紙を探す。リチャードのスケッチを指でなぞる。ゴワゴワの髪の毛、暗くて憂鬱な目。この人と一緒にいたいと思うことがこの世で何よりも大切だと、どうやって伝えたらいいんだろう。ルディが言うには、リチャードはもうすぐ、アメリカで看護師をしているお母さんのもとへ行くらしい。沢山旅立っていく。こっちに来る者は殆ど無し。だけど僕にはもう彼がいる。ここに、僕のまっすぐな痛みの中にいてくれる。

電気を消して、家を暗闇に包む。そして僕は眠りの腕に身をゆだねた。外ではまだ、葉っぱが湿って息づいている。

★ エストレラ・アルフォン▼作家。三〇年代フィリピンの前衛作家クラブ「ヴェロニカンズ」唯一の女性。代表作の『マグニフィセンス』は未邦訳。

ようアダム

アンドリス・ウィサタ

ようアダム、久しぶり！　え、元気だった？　変わりない？　って変わったか。見りゃ分かるよなー、マッチョになってるし。鍛えてんの？　お前、昔はノースナック・ノーライフって感じだったのにな。まあいいじゃん。タイムマシンが実在したら、一緒にお前がぷにぷにで可愛かった頃に戻りたいよ。

俺のことなんか忘れちゃったって顔してるな。忘れたフリ？　いけずじゃん。まあ、確かに六年前と比べたら見た目もだいぶ変わったかな。ほら、俺ら中学のとき初めて会った…って言ったら思い出す？　俺、中坊にしてはデカかったから、お前に「ヒヒ」とか呼ばれてた…思い出した？

まだ？　俺だよ、ブラム・ヤクシャディプトラだよ。

初めて会ったときのことは鮮明に覚えてるよ。お前は俺のこと「ヒヒ」とか言って、オタクっぽくてデカいからっていじってきた。俺は本の虫だった。お前は俺の本を横から引ったくったりしてたな。お前の長い髪を禿げるまで引っ張ってやりたいってよく思った。ほんとうに大嫌いだった。まあでも、結局類友ってヤツだったのかな？　俺らが？　って感じだよな。でも一緒に飯食って、一緒にサボって、数学の先生にいたずらもしたっけ。連れションだけは幸い、しなかったけどね。アハハハ！

中学卒業して、高校に上がっても友達だった。アダム？　よかった、思い出してきたじゃん。けどなんか、顔も体も…まだ疑ってる感じ？　俺がブラムだって信じてないな。じゃあ、これを言えば流石に思い出すと思うけど、俺が高校の彼女に二股かけられた挙句ビンタされてフられたとき、俺、お前に泣きついた。記憶に焼きついてるよ。別れ話を詳しく聞かせたときのお前、真っ赤になって怒って、自分のことみたいに傷ついてくれたよな。俺は泣くばっかりだった。でも、あれは言われた悪口を思い出して泣いてたわけじゃないし、ビンタのちんけな痛みのせいでも…正直激痛だったけど、とにかくそうじゃないんだ。アダム、俺うれしくて泣いてたんだよ。お前の肩に頭を預けて、頼っていいんだと思って。人生で初めて誰かが守ってくれる安心感、みたいなのを感じたんだ。そのときやっと、俺が探してたのはお前みたいなひとだったんだって分かった。男同士だとかそんなものは関係なかった。あれこそが俺の人生を変えた瞬間だよ、アダム。俺の運命の人はアダムなんだって信じた瞬間だ。その日、この心は何があってもお前のところに帰ってくるんだって分かった。

そのあと数日間は俺、お前にどんどん連絡して、ショートメールとかで下らないこと聞きまくってたよな。通知がうるさすぎてマナーモードとかにしてたでしょ。アハハハハ。お前から返信が来るたびに、心臓が胃の底に落ちるみたいな、で心は舞い上がるみたいな、変な感覚だったなあ。親友のお前に恋してるって自覚するのは、妙な感じだったよ、アダム。バカみたいに聞こえると思うけど、目を瞑るときはお前のこと抱きしめたいってすごく思うんだ。アダム、多分お前にバレるのが怖くて俺はずっとそういう気持ちを隠してた。きっと逃げられて、それまでの関係も全部壊れちゃうと思ったから。

結局我慢しきれなかったんだけどね。お前のこと考えてたら寝てても目が覚めて、お前の写真を眺めないと気が済まないくらいなんだ。いや眺めただけだよ。それで落ち着くんだ。俺はあるだけの勇気をかき集めて告白した。全部吐き出しちゃってから一週間もしないうちにお前がうなずいてくれて、俺、ほんとうにびっくりした。人生で最高の瞬間だったよ。天国を目の前にして、俺の居場所がそこにちゃんとあるんだから。引き込まれるような笑顔だった。お前みたいな男の隣にいられるなんて自分はなんて幸運だろうと思った。アダムの心を追いかけてたら、ほんとうの俺自身の、ほんとうの心が見つかるんだよ。だからお前が好きなんだ。何回も何回も惚れ直した。

学期末の休みに、バイクに二人乗りしてジャワ島のバンドンに行ったことあったじゃん。覚えてる？すげー寒くてもう笑いが止まんなくて、俺がお前に抱き着いてたら、お前は全然面白くないジョークばっかり言って。初めてですみたいな顔でスラビなんか食べたよな。ちょっと休もうって言って宿を適当に選んだら、そこの毛布が臭くてお前はずっと文句たらたら。おかしかったよ。お前の面白さを間近で見てるのは、あれは特権だったんだろうな。アダム、ああいう日常がまた戻って来たらいいのにって思うよ。

思い出した？　アダム、バンドンってめちゃくちゃ寒かったよな。寒すぎて俺らタブーとか全部忘れちゃったんだ。アダム、俺はあのこと一生忘れない。汗が混じって、ひとつになって、俺は心が泡立ってお前の方へ昂って、もっともっとって煽るみたいだった。アダム。指が絡んで、顔が近づいて、お前のシャンプーの匂いを強く感じた。一言も交わさなくても、触れ合った唇から伝え合えたんだ。抱きしめられて、ゆっくりキスされて、すごいうれしかった。生きてるって感じ。世界からどんな重荷が降りかかってきても、お前がいれば俺は大丈夫だって思えるくらい、アダム、お前のことほんとうに好きだった。一緒になるの、バンドンで最後じゃなかったもんな。お前とだけだよ。ずっと続けてたいって思ったんだ。

アダム、まだ思い出さないってマジ？　分かったわ。こんな嫌な話を俺からするのってアレだけど、あの夜の話もするよ。お前が俺の家に突然押しかけてきて目の前で泣き始めたとき。何事かと思ったら、父さんと母さんに俺らのことバレちゃったって言った。それでお前の父さんがキレてお前を追い出して、しかも俺の家にまで来て俺の親にも怒鳴って、で俺の父さんと母さんもショック受けて、怒って、悲しんでさ。あの人たちが俺によこした目線、あんな風に見られたのは人生初だった。勝手に家に転がり込んできた小汚い獣が、ビョーキ持ちでやばいかも、みたいな目だよ。マジでどうしていいか分かんなかったんだ。それで俺、お前はきっと抱きしめてほしかったのに、代わりに突き飛ばしちゃった。倒れるまで。アダム、後悔してる。本当に後悔してる。アダム、許して、俺がバカだったよ、アダム。憎まれて、呪われて当然だ。

あ、泣いてるとこみると、少しずつ思い出してくれてるっぽいかな。そうだよ、俺ブラムだよ。納得してもらえるまで何度でも言う。ほんとうに俺、ブラムだよ、アダム。六年前、別れたときのことは覚えてる？　アダム、このまま一緒にいるのは怖いってお前が言ったんだ。また同じ過ちを犯しちゃうんじゃないかって。俺と一緒にいられなくなるのが怖いんだって。アダム、俺正直すげーむかついた。引っ叩いてやろうと思って手が疼いたよ。でも結局そんなことしなかったろ。代わりにお前の頬を撫でて、泣きながら「許すよ」って言ったんだ。それ以来、二度と会いたくないと思ってた。アダム、俺は自分の周りに壁を作って、二度とお前と関わり合いにならないようにした。お前は人生の光だってずっと信じてたから…そうね、俺は選んで暗闇に引き込もってたんだ。思い出も全部消してしまおうって思った。

けど、無理だね！　自分をだまし続けるのって無理だよ。俺はもう心に嘘つかないって決めたんだ。だから来たんだ、アダム。お前の前に来て、やっと正面から向き合ってる。死ぬまで二度と会わないって誓ったのに、もう破っちゃったな。

テロが起きたとき、俺の頭にはもう、お前に会わなきゃって考えしかなかったんだよ、アダム。お前が無事か、なんともないか、確かめないといけないと思って。お前の家に行こうと思って何キロも歩いたんだ。姿を見つけて本当にうれしかったよ、無事だと分かって舞い上がった。悲しいことにお前は俺から逃げて全力疾走して、このモールに駆け込んだわけだけど。追いかけてきたよ。お前はもう建物の中に入っちゃってて、俺はこうして入り口のドアを叩いてる。この音が、アダム、お前の心に響いてくれたらいいのに。見て、俺この人たちのこと全然知らないんだけど、すげー優しくて、手伝ってくれてるんだ。アダム、俺のお前への気持ちが、この人たちにも響いてるんだと思う。

アダム、頼むからこのドア開けて。バリケードとか取っ払ってよ。お前に会いたくてすげー苦しい思いして来たんだ。この気持ちを解放したいんだ。お前のことまだ大好きなんだよ。また一緒にいたいよ、アダム、俺だよ、また「ヒヒ」って呼んだっていいよ。お前にもまだ気持ちが残ってるでしょ、俺分かってるよ。頼むよアダム、お前を抱きしめて、あったかさをまた感じたい。アレをまたやりたいんだ、お前と。

ドア開けてよ、アダム、お願いだから。抱きしめたい。まだ愛してるんだ、アダム。

‡

男は入り口で立ち尽くしていた。仲間たちが店の椅子やマネキン、商品である電化製品さえ持ち出してバリケードを築く最中、この男だけは動かない。恐怖がこの場所全体を包み、皆叫んでいる。その中で男だけが、目を見開いて固まっていた。男の周りの世界は既にばらばらに砕かれていた。それでもなお微動だにしない男の頬を、とめどなく涙が伝う。あの人の姿をかすかにみとめたのだ。モールの入り口を叩いて雪崩込まんとするゾンビの群れの中、しかし、男がみとめたそのゾンビも、今はただ唸るのみであった。

★

スラピ▼ジャワ島西部伝統の、ココナッツを使用したパンケーキ

呪詛

オヴィディア・ユー

「ただ普通に暮らしてただけなのに！　人様にだって、迷惑かけずに生きてきたのに！　お前が突然現れて全て台無しにしたんだ！　邪悪な魔女め！」

エレベーターを出るなり私達を襲った罵詈雑言は、屋上テラスの美しい百合園の陰から投げ付けられたものらしかった。

「まーた自殺願望の子が来ちゃったかな」ルームメイトのレネが冗談まじりに言った。この街は史跡保護地区で、マンションと言えば階段が屋外にあるものが主流だ。つまり、我らがペントハウスを訪れる招かれざる客人のなかには、自殺願望を抱えた奴もいる。それが、受け入れて然るべき日常だ。

女はレネに向かって叫んでいる。「この尻軽の阿婆擦れめ、全部おまえの所為だ。お前の所為で呪われたんだ！　あの人は死んだ！　坊やは糖尿病で、お医者は坊やにしこりがあるだの、それが段々大きくなるだの、手術が必要だのと言う！」

唾にまみれたシンガポール訛りに、レネは狼狽えていた。女は、狂気に冒された人間特有の非常な痛切さを湛えている。その髪はいかにも不潔で、何より臭う。女が動くたび、不健康な垢まみれの肌と服の、古くて酸っぱい匂いが漂った。

これが初対面だったなら、あれは狂人だと一蹴したことだろう。

「警察を呼ぼうか？」レネは背後から小声で尋ねた。

「いや、まずゲイリーに電話しよう」と答えた。私はこの来客と、レネの間に立ち塞がるようにしなければ。ゲイリーはここの自治会長。バンヤンタワーの別のペントハウスに住む信頼できる友人で、この事件の証人にはピッタリだ。

「全部おまえの所為だ！　私の家族をめちゃくちゃにして！　今度は坊やまで病気にして！　お次は――坊やが…」

女の言葉は嗚咽と記憶の渦に呑み込まれていった。自身の口から「死」という一言が紡がれるのが耐え難いらしい。だが私は知っている。女がこうも生々しく咽び泣き、我が家の庭先で嘆きに身を捩るのは、その息子を案じた所為ばかりではない。

「あのとんまなメイドも同罪だ。あの馬鹿女め、坊やの治療費をいくらか援助しようだなんて私に言うんだ。そんな口を聞くメイドがどこにいる。言ってやったとも、お前がそんな大層な金持ちで、人様に施しをしてやるような金が有り余っているのなら、お前はなんだってうちのトイレなんか磨くんだい。警察にも突き出してやった、興信所にも教えてやったんだ、あの女がそんな金を持ってるはずない！　私から盗んだに決まってる！　なのにあのグズ共ときたら、あの女に金を返すのは私の方だって言うんだ！」

心優しいレネがこの侵入者に寄り添って慰さめてやろうとするのを、とっさに腕を伸ばして止めた。守るためだ。青い陶器の花瓶が彼女の頭を掠めて、後ろの壁で粉々になった。

「見ただろう？」女の声に混ざる狂気がいっそう増し、それは再び悲鳴となった。「私じゃない、そいつがやったんだ。見ただろう？　…だのにまた私を責めるんだろう！」

「責めたりなんかしてない、」と言いながら、それでもレネは背後の安全圏に戻った。この女が誰なのか、すっかり忘れているようだった。

当然私は覚えている。一九三〇年代以降のティオン・バルという繁華街について、忘れることはない。半狂の我らが客人に初めて出会ったのはほんの一年前、再開されたばかりの市場でのことだった。過去には政府の補助でやっと永らえているオンボロ住宅地などと考えられていたこの街だが、いまや曲線的でモダンなバルコニーとパステルカラーのウッドシャッターの奥に、その汚名はしまい込まれていた。テラス階段の踊り場の野菜畑には、在来種と新種とが仲良く育っている。戦前は裕福な実業家の愛人が住んでいたため、建物は「美人家（メイレンウー）」と呼ばれていたそうだ。今日ここにはカフェバーや洒落たビストロ、レトロな書店が並び立ち、地価はうなぎのぼりで、ちまたの不動産業者をかの愛人の如く引き付けている。

‡

初めてあの女に会ったのは、当時開いたばかりの市場のチークエ屋台の前で列に割り込まれた日のことだった。チークエは、米粉と水をきれいな半円状に形成して蒸し、漬け野菜とゴマをトッピングしたもの。レネも好物にしているスナックだ。

当時、この女は夫とメイドと二人の子供を連れて、捕らぬ狸の皮算用を声高に披露していた。

「そんなに大層な立地にも思えないけどね！　大方、ホモかシロンボ★に貸すから足元を見て高くしてるだけだろう、そうに違いない」

チークエの値段と味についても、女は一通り不満を述べた。座席についても、周囲を飛ぶ鳥についても。それから食事の一向進まない娘を叱り、話を聞かない夫を叱り、皿や水筒を鳥に投げ付ける息子を、止めないメイドを怒鳴った。

このメイドが一家の食べ残しをタッパーに集めようとした際にも、女は彼女を平手で打った。「なんて汚らしい！　世間様に、うちがあんたにまともに食事をやってないとでも言いたいのかい！」

事実メイドは食べ物も飲み物も与えられていなかった。しかしそのメイドすら、この娘の痩せ細りようには及ばない。娘の食事は椀の上から盆の下に、口をことごとく迂回して移動するのみであった。そこで私は気付いた。母たるあの女が気付いていなかったとしても、あの子はさぞ美しいに違いない。今は母親の図体や態度の大きさに埋もれてしまっているだけだ。

当時私が住んでいた、セン・ポー・ロード沿いの集合住宅の一階のロビーに再びこの女が現れなかったら、あの邂逅もそれまでだっただろう。女の声が口うるさく、我が家のシンプルな木製ドアと窓枠の塗装を嘲るので、私はすぐにそれと気付いた。「あなたのおうち高く売ります」と宣うチラシを投げ入れながら、随分な物言いである。

「言っておくけどね、最近ときたらここに住みたがるのはボンボンのホモか貧乏シロンボのどっちかだ。

年寄りの馬鹿共は誰にせびってるのか自分で分かってないのさ…あらあら坊や、投げちゃダメよ」

何かが割れる音。

ドアを開けて見てみると、一メートル半ほどの狭い通りにずんぐり太った生白い顔の息子がいて、もうアロワナの水槽にカップサボテンを投げ付けて全てぶち壊した後だった。割れた硝子と磁器の破片が水に混ざっている。セダム・ラブロティンクタムのピンク色のジェリービーンズの様な花弁がバラバラに散っている。魚が地べたで必死に跳ねるので、コンクリートの地面のあちこちに花弁が飛んでいく。少年は既に壁のラックから別の植木鉢を（土器入りの八センチ弱のサボテン…四海波〔タイガー・ジョー〕だ）拾い上げ、次のターゲットを探していた。こちらを見るなりその目が光る。私に向かって振りかぶった途端、サボテンが曲がってその手に噛み付き、少年はあっと叫んでこれを取り落とした。父親もメイドも姿が見えない。恐らく他の場所でチラシを配っているのだろう。しかしあの拒食症の娘はそこに立って、居心地悪そうに、不安げにしていた。

女が少女の後頭部を打った。太った少年はこれを見て針のことなどすっかり忘れ、勝ち誇って悦んだ。「弟の面倒くらいちゃんと見たらどうだ！　これは全部お前が悪いんだよ！」

‡

エレベーターのドアが再び開いた。抜かりのない美男子のゲイリーは、フィリピン系の二人のメイドと運転手、隣人を数人と、そして居た堪れない顔の警備員を連れ立ってやってきた。面々は包丁やゲイリーのゴルフクラブ、そしてコーランを手にし、武装は万全だ。

「直ぐに警察が来るよ」とゲイリーは言った。「レネから『オカシイ人が来た』とまでは聞いたんだけど…自殺願望なのか、殺人願望なのか、ただの飲んだくれなのか、想像付かなくてさ」

「オカシイのはその魔女の方だ！　あたしの夫を連れてったんだ！　坊やまで殺そうとしてる！」女はゲイリー達に向かって叫んだ。

ここでようやく、我々はこの女の苦悩の核心を垣間見た。当然レネは気付いていない。しかし今夜の混乱とストレスからか、レネの口から突如笑い声が溢れ出た。

「このひとですか？　彼女、男の人に興味はないし、お肉も食べないから動物も殺したことないのに？」女は動きを止め、ここで初めてレネをまじまじと見た。「そうさ、その魔女はお前まで奪った。お前があんなに歌が好きだったなんて、私は知る由もなかったじゃないか。きっと馬鹿娘の振りでもしているんだと思っていたのに…。一度で良いから私の言うことをお聞き。『弟を殺すな』と、お前がお言い！」

レネは目に見えて当惑していた。幸いゲイリーが二人に割り入り、運転手と警備員に女を下に連れて行くよう指示してくれた。後に警察が登場しても、女はまだ抵抗をやめなかった。

もちろん、女は連行された。警官のひとりが遠慮がちにレネに歩み寄り、レネのCDを全部持っていると言った。テレビの音楽番組『プレジデント・スターチャリティー』で彼女が歌う回は毎回チェックしているのだと。レネはこの警官に菊茶の缶とサイン入りの写真をプレゼントした。警官は、「あんな狂人が二度とここへ近付かないよう、警備を徹底いたします！」と保証して、喜び勇んで歩き去った。

狂女はまだ叫んでいる。地上にいる彼女の声がここからでも聞こえる。女の声に宿る絶望は、離れるごとに音量を増して響いた。

「あの魔女に呪われたんだ！　家族皆呪われたんだ！　魔女があたしの娘を盗んだんだ！」

‡

私は呪っちゃいない。あの女も、落ちぶれたその家族も。地上で窒息寸前のアロワナを水槽に戻すのを少女が手伝ってくれた際、確かに私はその母に静かに話し聞かせた。彼女に来たる未来の話を。言葉そのものが力を持っているから、敢えて声を荒げる必要はどこにもない。私の傍らで静かにプラスチック製の水槽にビニールホースを携えて水温調節を試みていた少女にさえも、聞こえないような静かな話だった。

釈明しておくが、あの女と夫が寝室を別にしたのはその何カ月も前のことだ。あのまま行けば人生を別にするのも時間の問題だった。私には明々白々だ。同様に、息子の癌だって当時既に運命付けられていた。あとは発症を待つばかりだったのだ。あの柔らかで脆弱な体の周りの、詰まるように陰鬱な瘴気で分かる。私はあれに名前を付けて表沙汰にしたというだけだ。病気の匂いはよく知っている。占領中にジフテリアで死んだとき、私はほんの二十七歳だった。

世の中には紙一重の均衡で成立しているものがあり、たった一言漏らすだけで全ては崩れうるのだ…。

‡

「あの人、良くなるかな?」レネはつぶやいた。心配そうにする彼女も愛らしい。「あの人、狂ってた。狂ってたんだよね?」

いや、まだだ。だがもうすぐ本当に狂うだろう。そしてそうなるずっと前に、女は自分が狂人のレッテルを貼られていることに気が付く。まず、女は上司に今日のことを報告せざるを得ない。更にこのマクドナルドのシフト担当は偶然、「子供がレジの女を怖がるのでなんとかしてほしい」とクレームを受けた後だ。そういうわけで、女は残念ながら解雇を余儀なくされる。もちろん後には、警察と裁判所が任命した精神科医が、晴れて女に妄想症と統合失調のレッテルを貼り付ける。いまにそうなるだろう。

あの女のことはもう忘れた方が身のためと思ったのだが、レネはまだ動揺しているようだった。

「あの人が言ってたこと…なんだか覚えがあるような気がして…」

苦い後味を噛み締めるような声だった。

「あの人みたいにはなりたくない」とレネは繰り返した。

私のレネが初めてそう言ったのは一年前。その日のレネは、我らが招かれざる客人のケチそうなキツい顔つきと、安い口紅で縁取られた歪んだ唇に言及していた。その瞬間、私は少女を運命から救うことに決めたのだ。彼女を「生まれ変わる」を意味する「レネ」と呼ぶことにした。助けた以上、私は彼女を守ろう。

「愛してるよ」思い出させるように私は言った。

「何も問題ない。私がずっと守るから」私の言葉がレネの守護となり、彼女を私に連れ戻す。レネの美しい顔が晴れ、笑顔で我々の住処に戻っていった。私はそれに倣う。

だがまずは、粉々になった花瓶とその中身を治してやらないと。新たに誂えた壊れない水槽で、煌めく鯉の泳ぐ様を祝福しよう。砂や塩、守護用の種子を調合して結界を張るのだ。亜麻の種子の、硬く黄金に輝く滑らかな殻。そして乾いた唐辛子が二つ。こうして整えた箱は俗な人間などは及びもしない、強い力からも守ってくれる。その守護への感謝さえ忘れなければ。種子に力を注ぎ込むと、保護結界が少し強化され、内側にレネの笑い声が反響する。こうした品々はもちろん、何より見た目がそれらしいというだけだ。

最も強力な魔法は言葉に宿る――

しかし何を言うか、ではない。何を聞くか、なのだ。

★　シロンボ▼クロンボのもじり。原語は「Ａｎｇ ｍｏｈ（アン・モー）」アジア系がマジョリティのシンガポールにおける、白人への差別用語。

★★　占領▼第二次世界大戦中の、日本軍のシンガポール占領のこと。

シャドーガール

ジェマ・ダス

ようやく国境を越えた。見たところ追手はまいたようだ。気配がなくなって数カ月経っていた。レベッカが真の意味で自由になることはないのだろうと、それでも理解できる。よろよろと前進した彼女は、下生えの茂みに沈んで消えた。はるか頭上に威勢よく伸びた大木の、根の間にひしめく緑葉の中に、葉は穏やかに前後に揺れ、やさしくざわめいている。

視線を下ろしていくと、暗い彼女の影に釘づけになった。半分明かりに照らされたその肢体にまばらな影が落ちる。目の周りに円形の痣ができて、柔らかな巻き髪は乱れきっていた。それでも視線がこちらのそれとかち合ったとき、瞳には以前にはなかったきらめきが見てとれた。女は柔らかく、従順であれと言われてきた。我々は花のような可憐さが取り柄だと。彼女は真逆だ。そこが好きだった。その声は砂利のようにざりざりしていた。その腕はいくつもの傷痕と、隆々とした筋肉に覆われていた。手指は節くれ立って、しなびた蔦のように頑固だった。

彼女の前にひざまずき、その頬を柔らかく手で包む。その肌は最早真っ黒と言って良いほどだ。読み解けぬ秘密の約束に満ちた肌は、上空の葉の影が動くにつれて穏やかに黒さを増していく。頬をすり寄せた彼女の涙が指に伝って来る。その目は閉じられることも、背けられることもなく、じっとこちらを見据えていた。

目を閉じて身を乗り出す。が、あと三センチというところで突如不安に襲われ、はたと動きを止めた。彼女は逃げては行かなかった…唇に吐息がかかる。その荒々しい両手の重みを腕に感じた。彼女が二回頷くと、鼻先同士が上下にすり、とこすれる。思わず微笑んで距離を縮めた。溜息を吐いて、溶けるようにこちらに寄りかかる。縋りつくようにこの肩に腕を回し、涙がとめどなく頬を伝うその姿は、まるで溺れかかっているかのようだ。彼女の中に入った。それで二人とも、少しだけ落ち着いた。

涙に濡れた頬を首筋に感じる。抱きしめて「もう大丈夫」と耳元に囁いた。「一緒にいるから」

レベッカを下草の上で涼ませて、しばらくキスしながら休んでいた。ひとつの場所に一緒にいて、いちゃついていられるのが手放しで嬉しい。

閉じた瞼を親指でなぞる。

「脱出成功だ」囁き声で言った。「これからどうしたい？」

瞼を開いた彼女の、射貫くような目と目が合う。いつものように心臓が一拍すっとばした。「なんでも」と、涙で荒れたままの声で彼女は答えた。「ちょっとだけ、ただ居てみるってのは？　駄目？」

なかなか良い計画だと思った。

‡

その何年か後になって、長い旅路の途中でレベッカが書いてくれた…でも絶対に見せてくれなかった手紙を発見した。

ジェシカへ、という書き出しの手紙はこう続いた。

私はもう駄目かも知れない。だから知っておいて欲しいことをここに書いておく。貴女を好きになったかも。いいえ。好きになりました。ずっと好きでした。

こんな苦しい思いをして、この想いが貴女に届かないで終わるなんて嫌だ。私たちの関係は、そんなに下らないものじゃないと思うから。

貴女無しではダメになったの。そのことを恥じたりしないよ。だけど怖い。貴女がこっちを見てる時、同じ気持ちだなって思うことがある。でも一分後には絶対そんな訳無いって思ってしまう。女の人に好かれたいなんて考えたことも無かったけど、貴女には好かれていたら良いなあ。でもどっちでも良いの。とにかく貴女に出会えて良かった。

大好き。

レベッカより

持って行って見せてやると、微笑んで「すごい恋煩いだったなあ」と言う。「お互い様だよ」と微笑み返した。

‡

彼女の墓を掘り返していた。

太陽が燃えるように照りつける背中に、汗でシャツがべったりと張りつく。腕と肩がひりひりと日に焼けて、腰も痛むし、鼓動は一拍ごとに頭に疼痛を送り込むようだった。

時間が経つごとに穴は深さを増す。作業の手を速め、必死に地面を掘り起こした。だがここには何もない。骨のひとつくらい見つかっても良さそうじゃないか。それか宝石の少しくらいは。死の臭いだけはする。鼻につく腐った甘い臭い。でも死体がない。彼女はどこに行ったんだろう。

地面に膝をついて、冷たい土に指を埋めた。彼女はどこだ。どうしてここにいない。両手に握った土を顔にも髪にもぬりたくった。そんなことで、彼女が戻って来るわけでもないのに。

穴の壁面がほぼ地面と垂直になろうかというほど掘った。這い上がらないと出られない深さだ。転んだ。だがなんとか抜け出た。既に夜が更けていた。

心臓が早鐘を打って震える。この真っ暗闇の墓地から抜け出ることができるだろうか。ここには、自分と似たような女の墓が沢山ある。若くして死んだ女達。死ぬまで殴られ、生きたまま焼かれ、撃たれて死んだ女達。この人達には真っ白な墓石の列もなく、墓碑銘もなければ、お香もお供えもない。優美な金字で綴られた漢字もアラビア文字も、タミル文字もない。尊厳ある死者ではないってこと。ただの泥まみれの茶色い死体だ、この女達は。

こんなに沢山死んで冷たい地面の下に埋められているというのに、どうして自分は生きてるんだろう？　この人達が死んだ、そのお陰で生きている。毎日働き、食べ、生きている。

そのときが訪れたら、こんな風にはくたばらないぞと思った。殺されなきゃならない理由を作ろう。殺すしかないと思われるほど、手酷く噛みついて深手を負わせてやるんだ。消えない傷をつけ、骨を折ってやる、それを己の記念碑としよう。自分だけじゃない、他の女達の分もだ。一撃ごとを手向けにするんだ。二度と歩くことも、呼吸することも、愛することもない女達に。昔、そうすれば女になれると信じて、顔に白い粉をぬりつけた。その翌朝、揺るぎない信念に満ちて目が覚め、早く見ようと鏡に駆け寄った。その中に何を見たかったんだろう。

結局抜け出ることには成功した。人生で一番長い夜だったかもしれない。

墓地の入り口に着くと、壊れたアーチの下に人影が見えた。懐かしいシルエットだ。心臓が一拍すっとばした。雲が頭上を行き過ぎる中、仄暗い月明かりが彼女を照らしていた。自分の目が信じられなかった。だって、この手で彼女を埋めたはずだ。泣きながらその冷たい身体に土をかけたんだ。なんでここにいるんだろう。

だけど紛れもなくここにいる。彼女に駆け寄り、その足元に沈みこんだ。へとへとだった。夢か幻覚でも見てるんだろうか。それとも今、悪夢から覚めたんだろうか。彼女が一緒に下りてきて、こちらに腕を回す。抱き返しながらめちゃくちゃ泣いた、もう二度と離さないと言ってくれた。

‡

次の数カ月、彼女の回復を見守っていた。その自立が誇らしくもあったけど、酷く寂しくもあった。何年も一緒に逃げているうちに、すぐそこにレベッカがいる状態に慣れ切っていたらしい。認めたくないほど寂しかった。

レベッカはアパートでひとり暮らしを始めた。もっともな決断だ。自立して、尊厳を回復し、自分を信じてあげられるようになるために必要なことだ。ただ、こっちはこんなに彼女が必要なのに、あっちがひとりでも良さそうなのが耐えがたい。パニック発作をまだ起こしてしまう。不安。悪夢。放心。不意に触れられたり声をかけられたりするだけで、身体がぱっと砕けてしまいそうになる。息苦しい。動悸がする。視界が遠のき、汗が出る。似たような症状に悩まされる仲間は周りに沢山いた。他所者、遭難者、難民。でも、その誰よりずっと側に居てくれたのが彼女だ。一番分かってくれていた。真夜中に目覚めて、喉はからから、汗はびしょびしょってときに、側にいてほしいのはレベッカなのだ。

同じ気持ちだったのかな。こんな風に彼女も苦しんだんだろうか。

余りに強い不安に襲われたある夜、遂に彼女のアパートの前まで来てしまった。二度と必要としてくれなかったらどうしよう。自分はもう彼女の人生に不要なんじゃないか。そう考えただけで吐きそうになる。

通りから、柔らかな談笑と砂利道を行く足音が聞こえてきた。アパートにお邪魔しようか、まだ迷っていたときだった。振り向くと、レベッカは何人かと連れ立って街灯の下に立っていた。友人だろうか。彼女をじっと見つめた。最近は色んな人を見つめるようにしている。この街では、見た目にも性別にも決まりがない。好きな見た目で良いし、好きな性別で良いし、無性別であっても良いらしい。そういう規制のない恩恵だろうか。美しい人々がひとところにこんなに沢山いるのは、人生でこれまで見たことのない光景だった。

それにもうひとつ。信仰心とゲイであることとが両立できる。ここの神や信仰に厚い人々は、セクシュアリティがどうのという理由で人を憎む習慣がないらしい。男がヒジャブでも、女が髭面にターバンでも良いのか？　良いらしいのだ。ずっと前に信心を諦めた人間として、これは素直にすごいと思った。すっかり忘れていた、信仰を持ちたいという気持ちがこの場所には溢れてる。個人的にはもうそれを感じたいとは思わなかったけど、こっちを見て地獄に落ちろって思わない信者達の側で暮らすのは良い気分だ。

サリーを着た、見事な具合に両性具有の人が、レベッカにさよならのハグをした。突如燃え上がった嫉妬の炎を沈める羽目になった。

彼女は友人におやすみを言って、アパートに向かってひとりで歩き始める。ここでは路上で突然襲われることを警戒する必要もないのだ。クィアな女でも。夜道にひとりでも。そんな概念って余りにも突飛で、悪戯のような理解し難さがある。こんなこと考えている本人が彼女のアパートの前に変質者よろしく突っ立っているのだから、尚更説得力がない。今、自分は間違いなくストーカーっぽい。この奇跡的に安全な都市には、ストーカーなんてものは実在しないらしいのだが。

しかしこの街がどうあれ、暗闇から突然出てくる人間に良い思い出がないのはレベッカも同じだ。明かりの下に進み出て、そっと彼女に呼びかけてみた。レベッカが止まる。その黒い肌がネオンの街灯で輝き、傷跡の全てがくっきりと見えた。声の主に気づくと、彼女はにっこりと笑った。微笑み返しながら、心臓が一拍すっ飛ばした。

「ジェシー」と言う彼女の顔から笑顔は消えていった。こちらの様子を少しは汲み取ってくれたらしい。「どうしたの？　何かあった？」

全然平気、という言葉は喉につっかえて出てこなかった。彼女と対立したいんじゃない。ただ正直な気持ちで、向き合いたいだけだ。「会いたかったの」吐き出すようにそう伝えると、彼女はパーソナルスペースの内側にすんなりと入り込んで、すぐ隣に来た。レベッカのプライベートな場所や時間を尊重しようとしていたから、もう何週間もこんなに近づいたことはなかった。

あの日からもう何カ月もキスをしていなくて、彼女の味や唇の感触が忘れられずにいた。どうしてもそこに目が行く。急いて飛び出す唇を留めるように口の両端を結び直した。レベッカの方が身長が五、六センチくらい高くて、彼女を見るために少し上を向くのがどうしてこんなに好きなんだろうかと改めて考える。こんなに近くに来たのは久しぶりだから、身体が即座に反応し、熱が駆け巡って頬を赤く染めたのが分かった。

「私も会いたかったよ」彼女はそっと言った。

やるせない沈黙が訪れた。

「友達?」歩き去る何人かの人影を見やって尋ねる。

「うん、仕事の」と彼女は再び微笑んで答えた。「また友達が出来て嬉しい」

バカみたいに頷いてみせた。「仕事は順調なの?」

「良い感じ。最近そこのお寺の配属になって。向こうの、あの中国系の」レベッカは大ざっぱに背後辺りを指した。「良い感じ…なんか、フツウに」。

「良かった」もう一度頷く。目を逸らせない。

「うん、良かった」彼女はぎこちなく笑いながら、神経質に髪を手で梳かしている。

笑うしかなかった。そうでもしないと、この痛いほどギクシャクした間が埋まってくれない。レベッカも一緒に笑ってくれたから、いくらかはマシになった。

「本当に、会いたかっただけなの。でももう帰った方が良いかな?」言ったきり動かないでいた。

彼女が手首に触れてきた。「上がって行かない?　ちょっとだけさ」聞いてくれなかったらどうしようかと思った。

‡

彼女のささやかなアパートが好きだ。特に窓からマンゴーの木のある中庭を眺められるのが良い。運が良ければ窓から身を乗り出して、近くに実った熟れたのを失敬できる。

ここに訪れるたび、新しいレベッカらしさが足されていくようだった。冷蔵庫のマグネット、カラフルな枕、その他こまごましたものの内で、今回一番の衝撃は小さなキッチンカウンターに鎮座した大きなオレンジ色の物体だ。

「猫飼ってたの⁉」

大柄な赤毛のブチ猫。見る限り、歴戦の兵士のようだ。少し喧嘩っ早すぎる様子のふてぶてしい顔には、片耳がほとんどなかった。

「どっちかっていうと、その猫につかまったって感じかな。先週くらいにアパートに入り込んでうろうろしてたから、役員さん達が綺麗にして、去勢に連れて行ったみたいなの。仕事が終わって帰ってきたら、足の間に滑り込んできてね。それが決め手かな。ずっと家を探してたんだと思う」

見回すと、小さなワンルームのあちこちに猫用のおもちゃが散らばっていた。片隅にトイレ砂、カウンターに食べ物と水が入ったボウルがある。レベッカがひとりで何をしていたか、分かったような気がした。

この街のもうひとつ好きな点は、動物に対してオスとかメスとか言わないことだ。動物は性自認とは無縁だとされているからなのか、それとも当事者が人間に伝えられないことをこっちの都合で決めつけない方が良いとされているのか。どっちかは分からない。

「それで彼、えっと、その子、懐いてる？　その子。仲良い？」口ごもってしまった。「その子」はまだ不機嫌そうにこっちを見ていた。

「うん、でもそいつちょっと人見知り…」その子がカウンターから下りて足首にすり寄って来たのを見て、彼女は言いかけの言葉をひっこめた。

「まあ、別に立ち上がる予定もないさ。どうも」猫をちょっと気にして見やりながら呟いた。しかしレベッカが上着を脱いだので、注意は即座にそっちに持っていかれた。ノースリーブの明るい緑色のトップスが、肌の色を一層美しく際だたせている。彼女の肌はすごく綺麗になっていた。腕と肩の筋肉が優美に波打つ。レベッカはその身体中を覆う傷跡も、タトゥーのように誇らしげに着こなすようになっていた。ジャケットを脱いだその胸を強調するように、タンクトップが張りついている。

レベッカはこっちの視線に気づいて、ジャケットを片づける指を止めた。その瞳は熱っぽく欲望にまみれて見えたから、目を逸らされて心が痛んだ。

「もう嫌だ」と呟いた。彼女が向き直り、バチンと目が合った。近づいてジャケットをそっと奪い、慎重にカウンターに置く。危うく猫を踏みかけた。その子は足の間からさっとカウンターに飛び移り、ジャケットの上で丸まった。一瞬気が散る。普通猫ってこういうことするか？　すぐに思い返して、彼女に向き直った。

「もう嫌だ、こういうギクシャクした感じ。君の側に居られないのがすごく嫌だ。いつも一緒に居たのに。もっと、こういう風に」と、人差し指同士を合わせてみせた。何を言えば良いか分からなくなって、そこでまた口をつぐんだ。

彼女は酷く安心した様子でこちらを見て、時間をかけながら答えた。もう何度もこの会話をシミュレーションしていたかのように、リハーサル通りの言葉をなぞるようにレベッカは言った。「私たち、ちょっと前まで死に物狂いで逃げてきたでしょ。二人で長いこと走って。大丈夫っていうのがどんな感覚だか、自分との距離も、貴女との距離も分かんなくなってて。でも昔の私たちには戻りたくない」レベッカは自身を抱きしめるように足の重心をずらして左右に揺れながら、この最終宣告かもしれない声明を続行した。まったく最高だ。

「何か新しいものが欲しいんだ。なにか」彼女はそこで言い澱んで腕をほどき、両手をこめかみに押し当てた。

「こんな話したくない。私、ずっとあれのこと考えてるの」

彼女に歩み寄り、その手首をそっとつかみ、こめかみから離させて抱きしめた。

「何？」と促す。

「…何カ月か前に、貴女にキスされた時の…」彼女は息を切らして、繋いだ手を強く握りしめた。その顔は痛ましいほど勇敢で誠実だ。視線がこの目と唇とを行ったり来たりしていた。

彼女をカウンターに押し倒してキスをする。カウンターの上、彼女の両側に手をついた。レベッカの手が腰の辺りから背中をなぞると、触れたところから火花が散るような感覚が走る。二人の胸が互いに押し合い、その感触が頭を打ちぬいてトぶような気分。これがどんなに気持ち良いか忘れていた。彼女の唇が開いて舌が絡み合う。これだ。このためにここまで来たんだ。これ以上のものはない。ただ…。

脚を彼女の腿の間に滑り込ませて、押しつけた。彼女の硬くなるのを腿に感じる。レベッカが喘いだ。

「焦り過ぎ」と彼女は呻いて、そっと身体を離した。額だけその肩に預けて、素直に少し距離を置く。上気した肌を冷ますように耳たぶの間近からふっと息を吹きかけた。彼女のあたたかく無骨な手のひらが首の後ろに上がってくる。

「ヤバ」と息を吐いた。

「うん」と彼女は同意し、それから笑い出した。つられて可笑しくなって一緒になって笑い、じゃれあいになった。やり合ううちにお互いムキになって激しさが倍になる。こんな風にくつろいだ彼女を見たことがなかった。こんな風に笑うなんて知らなかった。それがもう嬉しくて仕方なかった。

やっと落ち着いて親指で彼女の頬をなで、傷口から涙をぬぐった。

「泊ってくでしょ」と彼女はそっと尋ねた。「なんにもなくて良い。一緒にいたいだけ」

「もちろん」と答え、もう一度キスをした。

‡

二人でしっかりした関係を築いていこうと思った。お互いへの愛欲が、単なる長年の逃亡劇による共依存の副産物だとは思いたくなかったから。それで数カ月ほどコートシップ★を試した。拍子抜けするほどすんなりできたし、すごくロマンチックだと思った。ひとりの人間とここまで繋がっていると感じられるとは思っていなかった。でもそれ以上の収穫があった。自分自身と繋がっている感覚だ。これに近いものを最後におぼえたのは、多分すごく小さな頃。

その日はハイキング日和だったので、公園に出かけた。地平線の向こうまで澄んだ青空が広がり、雲がいくつか空を流れていく。公園は人でいっぱい。皆くつろいで遊んで、家族とのひとときを楽しんでいた。露店のでき立ての料理の匂いが満ちている。ノンバイナリー★★と女性のサッカークラブが練習をしていたが、この暑さではいつ終わってもおかしくないと思う。頭の先から足の先までしっかり着込んだムスリムのメンバーを内心讃えずにはいられない。暑くて死にそうだろうに。我々の少なくとも倍はタフだなと思う。

公園の反対側には教会がある。尖った屋根の頂きに十字架がそびえ、空の青さの中で真っ白に輝いていた。ここの十字架は全然別の意味のシンボルなんだ。それが分かるから、怖くはなかった。ステンドグラスの窓から明るく日が差して、あの中はどんなにきれいだろうかと思った。

レベッカは友人と、その子供達と湖の畔(ほとり)で遊んでいた。少し離れた場所で裸足のつま先を草に絡めながら、なんのわだかまりもなくただ彼女を眺めていた。レベッカは最近ドレスを着るようになり、大ぶりな頭飾りも好んで身に着けるようになった。確実に癒えてきている。ドレスを着ていても自分が変人だと思えなくなってきたと教えてくれた。二人ともそれを誇らしく思った。レベッカの友人の誰も、なぜドレスを着るのがおかしいなんて発想になるのか想像もつかない様子だった。それもきっと良い影響だ。

ぼくはといえば、退屈っぽい両性具有な出で立ちのままだ。それで良いとも思っている。だけど両性具有ってなんだろうと考え直す羽目にはなった。男女の二元論のないこの街で「両性」だなんて。これについてはまだ答えが出ない。ところでこの街では、貨幣経済から〝ニーズベース経済〟と呼ばれるものへの移行が始まるようだった。ぼくにはこれがなんだか解らない。ともすれば「無料の商品が数えきれないほど取り放題！　保険も、住宅も、食料も、教育も！　まさに資本主義最大の悪夢！」としか聞こえなくて、考えると頭が痛くなった。この街の目指す勇敢で新しい未来について行けない感じがして、偏屈な年寄りにでもなった気分だ。

だけどまだ一年も経っていない。そしてこれは大改革なんだ、もっと時間が必要なんだ。彼女と遊んでいる子供達を見ていた。ボールを投げ合う、カラフルな反抗者諸君、あの子達をすごくうらやましく感じた。ここで育ちたかったな。レベッカと二人で、それで恋に落ちて。たぶんそしたら、彼女を怯えさせることもないんだ。

でも嫉妬の波はやってきた途端に去った。もしここで育っていたら、彼女はああは育たない。ぼくのレベッカ。ぼくだって今のぼくじゃなくなってしまう。自分のことを好きだと思えるようになってきていた。愛そうとさえしている。あり得ない変化だ。

彼女のことも、愛そうとしている。

そう思う気持ちが激しくなって、ぼくを取り込んだ。何も惜しくない。過去に戻って変えることなど何もない、それで彼女がいなくなってしまうなら、失ってしまうなら。

立ち上がって、レベッカの輪に加わった。

‡

準備には丸々一週間かかった。レベッカを家に招いて夕食を作った。ぼくは今、小さなタウンハウスの最上階に住んでいる。隣人達に外に出てもらって、その夜は二人きりのディナーだ。野菜畑として使っている小さな庭に、新しくペンキを塗り直した古いブランコを軋ませて、並んで座った。満月の銀色のひかりを浴びる。コオロギの鳴き声と木々の間を抜ける涼しい風の演出で、これ以上ないくらいロマンチックだ。

「心がもう直んないくらい壊れて、ボロボロになっちゃったって思うこと、ある？」たいしたことないような声で彼女は尋ねた。

「いつも思ってるよ」その表情を探りながら答えた。ロマンチックな雰囲気と、なんとも悲壮感のある話題のミスマッチに狼狽えてしまう。

「私、時々ホームシックになることがあって。ねえ知ってた？」彼女はそこに答えが落ちていないかとでも言うように、熱心にぼくを見つめた。「あんなことがあったのに。あんな風に…怖かった。いっつも怖い思いをさせられた、あんな所なのに。そんな場所にホームシックになるなんて。あんな場所を、あんな酷いことした人達を恋しく思えるなんて」彼女が立ち上がって、その手のぬくもりがすぐに惜しくなった。「つまりね」彼女が続けた。「もう心配ないってことだと思うの。ここなら大丈夫だって良く分かった。もう私、万全なんだって思わない？　もう、なんていうか、治ったんだって」

彼女の側に行って、その手を取った。見つめるばかりで、言葉が出なかった。その痛みに寄り添って、ここにぼくがいるって示せば少しはマシかと、そう願うことしかできない。「万全なんかじゃなくて良い。完璧じゃなくても良いんだよ」寂しさと半々の微笑を彼女に向けた。「ぼくたちどっちも完璧だったら、多分一緒にはなってないし…ボロボロなとこも含めて君なんだと思う」

「大好きなんだ。そういう君が好き」ぼくは言った。

様々な感情が駆け巡ったようだった。「私も大好き」と彼女は少し悲しそうに笑って言った。それからキスをしてくれた、約束に満ちた、ゆっくりとした深いキス。

それはすぐさま熱を帯びた。長いこと暗黙の了解ではあったけど、今や口に出してしまった。確かめ合ってしまったんだ。彼女はしなだれてぼくの頬にすり寄った。二人とも呼吸が荒くなっていた。

「欲しい」と彼女は囁いて、目を合わせようと少し顔を離した。「貴女が全部欲しい。ね、ベッドに連れて行ってくれる?」断られるはずのないお願いだ。

ぼくは彼女の手を取って、中へと導いた。

★　コートシップ▼「交際・結婚を前提とした関係」「お試し期間」「お互いを知る期間」など。文化や関係性によって幅広いコートシップが存在する。

★★　ノンバイナリー▼「男性・女性という二分の枠組み」には当てはまらない、とするジェンダー・アイデンティティ。「中性」や「両性具有」とは異なる。

生理現象

アッシュ・リム

擦りガラスの扉を開け、安物のアロマオイルの香りが漂うエントランスに入る。カウンターで支払いをしていた男が振り返って私を見た。頬が紅潮しかかるのが自分でも分かり、私は壁に掛かったポスターに熱中している振りをした。壁の向こうからクラブのような音楽が聞こえてくる。カウンターに呼ばれた時には、まだ顔が赤く火照っていた。受付のボーイ二人は非常に若く、まだ学生に見える。私はなるべく目を合わせないよう、会員カードと入場料を渡した。

「公衆トイレで金を払うのに恥じ入る必要はもうないな。そうだろ」私を初めてここに連れてきた際、アジズはこう宣った。「いいか、排尿は生理現象だろ。じゃ、射精はどうだ？　何も変わらない。そうだろ。まあ確かに、ハッテンバに行こうと思ったら公衆トイレの百倍以上の値が張る。高すぎるよな。パンパンの膀胱を解き放つより、パンパンの玉を解き放つ方が百倍もキモチイなんてことはないからな。だがどっちにしてもチンポから液体が出てるだけだ、そうだろ。生理現象に変わりはない」

「マルチビジットパスを購入しますか？」カウンターの二人のボーイのうち、可愛い方が尋ねた。

「なんて？」私は言った。

ボーイはポスターを指差した。先刻、私が眺めていたのに気付いたのだろう。

正直ホッとした。常連と思われたのかと思った。

「あと五回、ご利用の度に四十三ドル上乗せするだけです」とボーイが説明する。

「結構」私は答え、カウンターに置かれたタオルとロッカーの鍵をさっと手にした。カウンター横の扉のマグネットロックがパチンと音を立てて解除される。素早く扉を開け中へ進むと、茶髪に青い目のマッチョと擦れ違った。着古してくたびれたタンクトップが、つるつるに剃った胸筋に張り付いている。男の匂いを吸い込みながら、もっと早く来れば良かったと私は自分に言い聞かせる。しかし一瞬の後、あんな男とよろしくやる程の魅力など俺にはないじゃないかと、自嘲的に思った。

いやしかし、彼のシャワーシーンくらいは見られた筈だろうに。

くそっ。

更衣室は早くに来た客で既に賑わっている。流れてくる曲に合わせ、私の鼓動も高まっていく。最近はマッチング・アプリを使って出会いを求める男が多いのは知っているが、私はこの手のアプリで所謂「遊び」を求める気にはなれない。

先程のマッチョがシャワーを浴びるイメージが頭から離れない。白く輝く陶器のような太い曲線美に水が滴り、水滴が宝石のように空中を舞う様だ。

ロッカー番号を流し見ながら、私は同時に、サバンナの風を嗅ぐガゼルの如く用心深く、見知った顔がないか探していた。何を隠そう初めてここを訪れた時にはジャスパーと鉢合わせてしまったのだ。奴がわざとらしく目を見開き、口をあんぐりと開け、心配になる程剥き出しの、心配になる程青白い胸に大袈裟に手を当て、驚いた振りをして私を迎えたのだ。私は早速ここへ来たことを後悔した。

「へえええええ、誰かと思ったら」奴はにっこり笑った。「ここで君に会うとは予想外。誰かさんがアプリのプロフィールに〝ヤリモクNG★〟なんて書いていたように思ったのに」

何故ジャスパーと付き合わなくなったのか、私はこの瞬間まで綺麗さっぱり忘れていた。そんな記憶など戻らずとも、とりわけ不自由なかったのだが。以前勤めていた会社を辞めて数年が経つが、この男は未だあそこで働いているとみえる。そもそも決して親しい間柄ではないのだが、私がゲイだと知る元同僚達は、ジャスパーと私が親友であると思っているようだ。考えの至らぬヘテロ共が我々二人を無理にカップルにしようとするよりは、その方が幾分マシではあろうが。

「いや、友人に誘われてね」答えながら私は、なんて言い訳がましく聞こえたことかと早速自分に苛立った。

店のスタッフと話をしていたアジズは、自分が紹介されているものと勘付いて、無愛想に頷いて我々を認めた。

「地元での恋が花咲いたの、君！」ジャスパーは爆音のＢＧＭにも勝るような鋭く高い声を落とそうともせず、白々しく息を飲んでみせた。「おめでとう！」「あれはただの友人だ。一体どうしたら……いや、良いんだ。実は、ここに来るのはこれが初めてでね」

「ふうん、そうかい」ジャスパーは言った。「僕も初めてだよ」

この非常に鼻に付く、やけに馴れ馴れしい振る舞いは知り合って一日目から相変わらずである。件の会社への初出勤の際、私の机まで訪ねてきて社員証を手渡したのがジャスパーだ。私がこれに署名する間、この男はこれでもかという程の馴れ馴れしい口調で「ねえ、こないだの夜君を見たよ。タブーにいたコ、君だよね」と聞いてきた。

〃タブー〃が何なのか、知らぬ振りを通すことも不可能ではなかった。しかし奴がその嘘を嘘と見抜くことを私は見抜いていたのだ。それに、驚いて署名を書くペンを途中で止めてしまった。訂正線を入れる前に奴を見上げてぎこちなく微笑んだ時には、最早バレていたのだろう。この期に及んでの悪あがきは悪手だ。まさかこの私が下っ端の管理部門のアシスタントなんかに「本当の自分を隠しているつもりの哀れなクローゼット・ゲイ」と思われ、同情を買うなどあってはならない。個性を誇り高く着飾る自分の方がこいつより格上だ、などと思われるのは絶対に看過出来ない。そんな勘違いはその場で払拭しなければならなかった。

「いえ、私はクラブなどはちょっと苦手で……人違いかと」私は言った。


ロッカーを見つけるのに大分時間がかかってしまった。カウンターで私を見ていた男は同じ列のさらに奥にロッカーを与えられており、彼がタオルで隠す前に、短く剃った陰毛と白っぽいペニスを垣間見ることが出来た。

焼けた肌に入れ墨と、メッシュ入りの髪、画鋲のように異様に膨らんだ乳首という出で立ちの、俗に言う不良系の男が彼に近付いた。不良君が彼とすれ違う際、私は二人の指がそっと触れ合うのを目撃した。男は急いでロッカーを閉め、不良君に追い付き、誰もいない部屋を見つけそこで交わる。

私は誰がタチだのネコだの気にする人間ではないが、ジャスパーのような輩は常にそういうことを聞きたがる。腰にタオルを巻き付け、この先は腹に力を入れるようにと自分に言い聞かせながら、その貧相な布地をしっかり押さえつつシャワーまで歩いた。（ジムでの経験から、乾いたタオルはすぐに緩んでしまうことを学んだのだ。恥ずかしい限りである。）

太い血管が浮き出た、隆々とした二頭筋。

絵筆のような形に整えた、臍下の毛。

数人の老人がロッカーに並べられたベンチに腰を下ろしている。やわらかく垂れ下がった胸の下にタオルを巻き付け、まるでこぼれ落ちる乳袋を支えているかのようだ。誰も老人たちの目を見ようとしない。人生の節目をとうとうそんなに行き過ぎてまで、未だこんな場所に足を運ぶ彼らの生き様など、誰も想像したくはないのだ。

自分なら、あの齢になって、ここに来るようなことはしないだろう。誰かとくっついて幸せに暮らしているだろう。そう遠くない将来、きっと素敵な人に出会えると考えるのは、私の年齢なら至って自然だ。恋をして、一緒にアパートを買い、動物保護団体から子犬を引き取る。そして年を取ったら、こんな卑劣な衝動を抑えることが出来なかった若かりし自分を笑えるようになるに違いないのだ。

しかし残念ながら、今は違う。今、私は自分がここにいることを恥じている。見えなくなってしまいたい。しかし気付いてもらいたい。求めてもらいたい。この場にいる、全員から。

十二時の方角、乳首ピアスがウィンク。

九時の方角、バタースコッチの肌が粟立つ。

共同シャワーは全く無人だと分かった。私は安堵とも失望ともつかない心地だ。モザイクガラスのパーテーションに八つのシャワーブースが並ぶ楕円型の囲いは、薄暗くジメジメとして、沼地のような臭気に工業用の強力な消毒剤のケミカル臭が重なっている。プライバシーのため陰になっている端の席を取るか、タオル掛けに近い入り口付近の席を取るかで迷い、結局後者を選んだ。タオルを脱いだ瞬間、自分の選択は正しかったと確信した。さっと手の届くところにタオルが無いと気が落ち着かない。蛇口を捻ると、湯の熱さと、途切れがちながらも高い水圧に面食らう。しかし私がこれを愉しむに至る前に、太った中年男が傍のタオルラックに近付いてきて、タオル一つ掛けるのにやたらと手間取り始めた。

私は背中を向けたい衝動に駆られながらも、それでは余りに男らしくないと思い直した。中年男が一番遠い席を取るように祈ったが、果たしてそんなことが起こる筈もない。男は鼻に付く平静さで私の隣の席に歩み寄り、その蛇口を捻った。

中年男の洗っていない身体から跳ね返った湯が、私の既に綺麗な肌に掛かる。

中年男が話しかけてくる前に退散するのが最善であろうと私は判断した。そして丁度タオルを手に取ろうとした時、オーストラリア系のセクシーな男がサウナの入り口で立ち止まり、私の視線をしばらく射止めた後、小気味良いリズムを足に刻みながら中に入って行った。

アジズの助言によれば、まず〝ウィンドウショッピング〟に勤しみ、候補を何人か見繕うべきだという。しかし銭湯にそう長々と通い詰めることに私は余り魅力を感じない。〝ウィンドウショッピング〟の欠点は、結果として買えないものを見繕うことにある。三十代半ばの男としては決して悪くない自負はあるが、下がり続ける貨幣価値に対して、買えそうな商品は現実的に見繕わなければならないものだ。あのコアラ顔のオーストラリア男は、良い買い物だっただろうか。閉店セールだったかも知れない、サウナの扉はもう閉まったが。

慌ててタオルを巻き付けると、私はサウナへと向かった。行きしな、以前に訪れた時サウナは迷路だと学んだのを思い出した。椅子の下にある微弱な青いライトが唯一の光源で、ほぼ暗闇と言って良い場所である。水滴の付いたガラスの扉を開けると、熱い蒸気が渦を巻き、また安物のアロマオイルの強烈な香りが漂ってきた。コアラ君を吸い寄せたのはこのユーカリの匂いだろう。蒸気マシンが、ドライヤーを何台もフル回転させたような轟音を立てている。

霧の中、湿った壁を背にしてみると、向かいのベンチに座る人々の脚は殆ど見えなかった。一番向こうの二人組は脚を開いており、その間に別の二人組が跪いている。どちらの組もあのコアラ君とは関係ないことを祈った矢先、背後からオーストラリア人と思われる声が聞こえてきた。この時、もたれ掛かっている壁と天井の間には幾らか空間があることに気が付いた。この壁伝いに先へ行くと、奥の方で通路が曲がり、二重になって袋小路になっているものと思われる。蒸気機関のような轟音の中何を話しているのかまでは見当が付かないが、コアラ君とこの別のオーストラリア人の会話は、イチャイチャというよりはもっとカジュアルな雰囲気だ。良し。

さて、あのコアラ君が戻ってくるのを待つべきか。それとも、この別のオーストラリア人を少し覗いてきてやろうか。

我が新年の抱負にしたがって、私は積極的に行動することにした。

温かくベタついた床を歩き、温かくベタついた壁を指でなぞり、今にもあの冷えたぬるぬるを踏んでしまいそうになりながら、私はうだるような影の奥へと進んだ。顔から、体から、汗が流れ落ちる。突如スチームマシンのスイッチが切れた。サーモスタットの設定温度に達したのだろうが、お陰で静寂が訪れ、はっきりとした声が聞こえてくる。私はその一つがマーク・シーガーの声だと気付いてしまった。

「ん、それじゃあね」声は言った。「また後で」

これが本当にマーク・シーガーか判断する時間は無いが、この男と鉢合わせたくないことだけは確かであったので、早急にここを立ち去ろうと思った。サウナから出かかった時、示し合わせたようなタイミングでトイレのドアが開いた。普段は絶えないネコの行列も奇跡的に皆無だ。そこで私は出たばかりの先客と肩をぶつけながら駆け込んだ。個室には、赤の他人が排泄したばかりの臭気が未だ立ち込めている。

逃避反応のアドレナリンが切れてくると、今度は自分に腹が立ってきた。付き合い始めて二カ月、共に休暇を取ろうと言い出し、その後突如として自分達は別れるべきだと宣言したのは俺じゃない。実は不倫しているんだと堂々白状した、良識のない人間も俺じゃない。恋人より若い不倫相手にうつつを抜かしたのも、俺じゃないのに。

マーク・シーガーがまだ不倫野郎と付き合っていると仮定して、あのうすぼんやりの大男に対し奴が誠実かどうかなど疑問するまでもない。ここに来たのも浮気に決まっている。奴のマンションの下のあの車道脇に私の車を停め、そこで別れ話を切り出してからたった五カ月しか経っていないというのに。又は、同意の上でオープンリレーションシップを楽しんでいるという線もあろうか。それはそれで驚くような話でもない。私も同様の提案をされたのだ。その時に気付くべきだった。私は奴との関係を非常にヨーロッパ的で先鋭的と思っていたものだが、兎角オープンリレーションシップは私にとっての恋愛の在り様ではないと伝えた時、奴は鼻で笑ってみせたのである。「中国人ってさー、一世代前までポリアモリー文化で育ったくせに、何気に慎重だよね。忠誠と愛を取り違えてるって感じ。ねえ、愛の基準って誰にチンコを勃てるかじゃないんだよ。心が一人に向いてるなら、誰相手に勃起しようが構わないだろう？」

まあ、マーク・シーガーなんてクソくらえだ。外に出て奴と実際会うことになれば、私の方は平静に挨拶しようじゃあないか。コアラ君についても、もしかすると気が合うかも知れないし、好ましい人物である可能性もあろうが、もはや興が冷めてしまったのも事実だ。

トイレのドアを開けると新たな行列が出来ていた。それを横切ってシャワーブースから出る。ソフトドリンクしかないバーに寄り道して(今はジントニックが飲みたいのだが)、ウォーターサーバーを目指した。点々と配置されたテーブルにお一人様で座っている退屈そうな客共が、期待を込めてこちらを見上げる。私好みの男はいなかった。

ぬるい水を口に含みつつジャグジーとバーを仕切る鉢植えの列を覗くと、プラスチック製の葉の埃でくしゃみが出そうになった。ジャグジーを縁取るように点々と置かれた安物のキャンドルの傍の一角で、デブ専同士のカップルが水中で絡み合っている。ポルノスターのような大袈裟で煽情的な動きは、二人が第三者を意識してパフォーマンスしているかのようにも思わせた。実際のところ、危険薬物に溺れているようにしか見えないが。

更衣室に戻っても、相変わらず人の出入りは盛んだ。客が皆、さも目的地がきちんとあるかのような顔で行き交うのが滑稽である。腰布一丁で当て所なく彷徨っている訳ではないぞ、とでも言わんげだ。マーク・シーガーはここにはいないようで、私は正直安堵した。先刻のマッチョをまた思い返し、あんな上玉がこんな所で全体何をしているのだろうかと訝しんだ。彼なら、どこへ行っても容易くお目当てにありつけそうなものだが。

これもまた、ウィンドウショッピングの有り余る欠点の一つだ。情熱に火を燈すような物を一度目にしてしまえば、どんなに手が届かない代物だろうと関係ない。未知の扉がまた開かれ、他の全てが色褪せた欠陥品に思われてしまうのだ。

私はもう服を着て暇(いとま)しようと考えていた。いやしかし、午後の大半を費やして陰毛を整え、臍下を剃り、身体を綺麗にしてきたことに加え、既に発生した費用(入場料…二十三ドル、駐車場…四ドル半)を鑑みれば今しばらく留まっても良いだろうか。少なくとも奥の間を覗いてから去るべきではなかろうか。結局のところ、メインディッシュといえば全てあそこで起きることなのだ。

その入り口は最奥のロッカー列の更に奥に、重たい黒のカーテンで遮られている。渋滞だった。黴臭いカーテンを引いて奥の間の悠久の黄昏に踏み入ると、タオル一丁の身体の群れのぬくもりに、激しく劣情を駆り立てられるのが分かる。轟音のBGMが私の脳から思考の一切を叩き出す。タオル一丁の身体がひしめきあってこの空間を満たし、肉体同士で形成された壁をまた別の肉体が行き過ぎた。カーテンから漏れ出す明かりの下で、男達はさりげなく新参者を値踏みする。同時に皆が身体相応の（と当人が思っている）注目に酔いしれていた。

さてどうしようかと決めかねていると、偶然丁度良い空きを見つけたのでそこへ滑り込んだ。壁を背にしていると無防備な気分が幾らかは和らぐ。暗闇に未だ目が慣れないので隣人らを詳しく見ることは叶わないが、特に詳しく見つめてやる程の輩でなさそうなことは十分把握出来た。なので、左隣の男が手の甲と私のそれとを掠めるように触れ始めたのを多少煩わしく思った。

左隣から視線を感じながら、私は無表情に前を見ていた。

ダンスビートの圧の中、廊下に面した窓のない小さな部屋の一つから、肉と肉がぶつかり合う鋭く明るい音が響く。周囲の男達はさして気に留める様子もなく、個展に訪れた客がするように、一つの絵画からまた次へと思慮深げに視線を移した。私も男達を注視することは避けた。

肌を打ち合わせるリズムは速度を増し、まぐわいのテンポに合わせてちゃちな衝立がパーカッションを重ねた。

向かいでは色白の男が右隣の男に乳首を舐められている。見る間に左隣の男も加わり、色白男の形の良い大胸筋の上を二つの頭が揺れた。色白は新入り信奉者の髪を掴み、快感にその美しい顔を歪める。

通行人の幾人かがこの路上パフォーマンスに足を止めた。性欲に滾った恥知らずの猿共は幾らか欲しがりすぎるもので、そのせいで列の歩みは遅くなる。こんなに数多の肉体を隔ててさえ、私には色白がタオルでなく白のブリーフを身に着けているのが知れた。その膨らみは張りのある白い綿に抱かれた、みずみずしい梨のようだ。

柄にもなく、あれに触れてみたいと思う己を発見して驚いた。

私の心を読んだかのように色白がこちらを見やり、遂に目が合う。私は今にも欲望に屈し、進み出て膝をつかんとしていた。親密な秘め事たるべき行為を、不潔な見世物に貶める輩の仲間入りを果たし、引き換えに自身の名誉を地に落とす寸前だった。しかしその前に色白と私の間に割入った堕落者が跪き、色白のブリーフのゴムに指を入れて引き摺り下ろした。

向かいで勃発したこの痴態に感化された左隣の男が、私に対する求愛行動を再開し、今度は尻に手を滑らせてくる。四方を人で囲まれている上、この賑わいは単なる人流からふれあい体験会場に変貌しつつあり、男の手から逃れるのは増々困難である。あれに交わりたい誰もがあの堕落者の脛を跨いで行く他ない。その馬鹿でかい頭が遮って、奴が無情にも露にした色白男のそれを目視することは叶わなかった。左隣の男の湿った指が背中を這いずるように撫で上げるのを感じ、私は動かねばならないと急いた。乱交に沸く群衆の間へと割り込み、あの指から逃れるため私は右へと進んだ。

人の群れに揉みくちゃにされ、やっとのことで比較的空いている廊下へと出て行くと、次に目の前にした扉の向こうから激しい交わりの音が漏れ出していることに気が付いた。パンパンとか、ドンドンとかいう音が大音響で響いてくるのみならず、喘ぎ声か、何日も乳を搾っていない牛の呻くような声も聞こえてくる。急いで最初の角を曲がると、廊下の反対側から見覚えのある眩い金髪カールの巨人がこちらに向かってくるのが見えた。

私は開いていた一番近くの扉に身をかわし、これをさっと閉じた。

「ちょっと何?」背後から女王様のような声が聞こえる。先客があったと気付くのが遅すぎた。振り返り、こちらを睨む〝チャフ〟とご対面する。〝チャフ〟とは、私が友人と使う内輪のスラングのようなものだ。これは女っぽいゲイのうちでも、デカくて筋肉がすごい連中……なかでも、ムキムキというよりムチムチといった風体の輩を指す。出会い系アプリのプロフィールで自分の体を「マッチョ系」と表現することに抵抗がないのもこいつらの特徴だ。こいつに関して言えば上腕が非常に発達しており、その大きいことと言えば、精肉店のディスプレイに切り分け前の肉塊として陳列されていても不思議でない程だ。チャフは二段ベッドに横たわり腰にタオルを掛けていたが、私がこのタオルを剝ぎ取ろうとしているとでも言うようにこれをしっかりと押さえて起き上がった。

「失礼」私は言った。「元……元々会いたくない奴が居たもので」

私は「元彼」などと言おうとして思い留まった。マーク・シーガーと付き合ったことはない。七週間程デートし、四回程泊まったのみである。そんな些末なことを誰が気に掛けようか。

いやしかし、こうして兎に角部屋に飛び込んでみてから己の身体を商品のように陳列するという戦略は、何か酷く悪趣味に思われる。扉を開いて退散してみれば、マーク・シーガーは既に去っていた。奴はこの一帯のどこかの部屋に、どこぞのブスを連れだって入っただろうか。俺は女々しいホモみたいにピーピー逃げ回るのに夢中で、そのブスの尊顔を拝み損ねただろうか。

これ以上は無いと思っていた最悪は、果たして曲がり角から聞こえたジャスパーの声によって容易く更新されてしまった。マーク・シーガーと対面する勇気を今しがた奮い起こしていた気がするが、ジャスパーと対面するというのは全くの別問題である。あの気障プリンセスは全体、どのくらい頻繁にここへ来るのだろう。奴は実際ヤれるのだろうか。

「カレにもそう言ったんだよ！　時間もたーっぷりあるんだから〝ナニ〟か別のことしたいなってさ」

聞き慣れた声が聞き慣れた調子で言った。「そしたらアイツ、〝ナニかって例えば何？〟って」

ジャスパーだ。間違いなく奴だ。

「信じらんないよね、ホント」ジャスパーは続けた。奴の愚痴はろう者でも耳を塞ごうかという域にヒートアップしている。「だから、〝ゆっっっくりその知恵袋を搾り取って、もう出ないってくらい、アイディア出しつくしてあげよっか？〟って言ってやったよ」

今左手に見えている入り口は、アジズに行かない方が良いと忠告された空間に通じている。「いいか、深海魚っているだろ。気持ち悪い、おっかない見た目で、暗い海の底にいるヤツ。何も見えない中ただぷかぷか漂って、餌の方から闇雲に口に飛び込んでくるのを待ってる連中だよ。〝暗闇ゾーン〟にはそんなのばっかりだ」

しかし、少しだけ入って行ってあの危険因子が行き過ぎるのを待つくらい可能ではないか。起こりうる最悪の事態にも限度があろう。ここなら仮にジャスパーが来ても、暗すぎて私とは分かるまい。

足を踏み入れた空間は、確かにほぼ完全な闇と言って良かった。壁を背に、入り口付近に立つと、いっそ視覚以外も奪われておきたかったものだと思えてくる。この湿った音や、口臭とワキガの混じったような臭い、年季の入ったカビ交じりの恥垢の感触の全てを、感じずに済めば良いのに。

「うわあ、暗闇ゾーンだ」ジャスパーの声が嫌に近くに聞こえる。「あそこだけは絶ッ対にナシ」

私はジャスパーの声が小さくなるまでその場に留まっていた。しかしもう安全と思った矢先、何者かに腰を掴まれ、タオルを剝がされ、壁に押し付けられ、その熱狂的で温かい口が私のソレに張り付いてきた。

私は本能的に相手を突き飛ばしかけたのだが、犯人の歯が怖くて思い留まった。手を伸ばして自身を引き剝がそうと努めるも、奴はそれを凌ぐ勢いで迫り、その鼻先を私の陰毛に埋めていく。全く呆れたことに我が自身は硬くなっていた。脱出したいのは山々なのだが、奴のヒルのような口がまた新たなことをし始めてそれどころではない。魅力の無い人間程テクニシャンというのは案外本当なのだろうか。それともこれは暗闇による作用で感覚が鋭敏になっているだけか。

私は寛大に、もう少ししゃぶらせてやろうと考えた。もう良いと思ったら、俺のタイミングで押しのけて立ち去ろう。

奴は不意に私の腰から手を離し、ひと呼吸入れようと動きを止めた。

こんなに早くチャンスが来るとは聞いていない。思わず抗議の呻きが漏れそうになった。しかしこの強姦魔が何やらグッグッという独特の、泥の中で泡がはぜるような音を立てるので気が散ってしまう。奴は再度私の腰を掴むと、唇とナニをぴったりと密着させ、一級品の掃除機も顔負けの吸引力でバキュームをかました。

私は張り詰めに張り詰め、緊張に昂っていた。あつい。こんなに激しく、容赦なく、すごいフェラは生まれて初めてだった。刹那、この糸が切れてしまう前に自由になるべきだという考えが頭を過る。

遅かった。

身体が震え、足を踏ん張るので精一杯だった。一瞬の閃光が一気に恥辱と後悔に変貌する。強姦魔の飢えた貪りに屈してしまったという事実が、この気分に拍車を掛けていた。怒りに任せ、今度は歯など気に掛けず奴の粘着質な口から己を引き摺り出し、足元に落ちたタオルを拾った。

廊下へ転がり出て、タオルを巻き直すために立ち止まりながら、私は周りにじろじろ見られてなどいないと自分に言い聞かせ続けた。俺は笑われてなどいない。オジサン系の男が暗闇ゾーンから出てくる。シャワーの際に見た太った男に似ているようにも思ったが、確信は持てない。

「はっきの君か」奴は舌打ちのような音を立てながら笑った。「やっぱいいな！」

男は何かを手にしていた。男が笑顔を見せた時、私は先の舌打ちと、あのグッグッ音の正体を目の当たりにした。奴が持っていたのは、歯茎から外したばかりの入れ歯だった。

★

ヤリモクNG▼「性欲発散のみの関係」はお断りの意。

★

オープンリレーションシップ▼一対一の関係＝モノガミーの形を取らず、お互いに別の人との関係を了承する関係性。

重ね着

アーサー・ルイス・トンプソン

まさか冬物コートのせいで、向こうのご家庭に亀裂が生じようとは。いや別に、高級ブランド品だったからでも、それを不用意に扱って、ボロボロにして中綿をはみ出させたからでもない。失くしてしまったからだ。サムはある夜、僕と夕食前に出かけて、着て行ったコートを着ないで戻ってきた。

熱帯の小島にはひっそりした冬がもう訪れて、屋上のテラスやタイルの床に、ひんやりとその冷気を分け与えていた。夏のオーブンのような熱気にじっくりと包み焼かれたこの島を、やっと解放する季節の到来だ。しかし、解放感もしばらくすれば、島中にひっきりなしに響く鼻をすする音に取って代わられる。特に朝、始発のフェリーの時間帯がひどい。真夜中前の最終フェリーを合図に、くねる隘路に、狭い裏通りに、冬は虚ろなスタッカートの足音を響かせて進む。

熱帯についてご存じなら、この「熱帯の小島」が厳密には熱帯ではないことはもう知れているかと思う。その通り、事実上ここは亜熱帯に属する。体感いわば半熱帯。控えめに言って、冬もそこまで寒くはない。但し、それでも現地住人にしてみれば物申したい寒さである。分かっている。僕だってその手の人間の一人だったのだから。

初めて会った時、サムはあの冬物コートを着ていた。黒に近い濃紺で、その時はまだ中綿もきちんと詰まってふっくらしていた。老舗のアウトドアブランドのものだとすぐに分かった。父が家族を乗せてヨットで旅行に行った頃、よくカビ臭い古棚の奥から引っ張り出してきたのと同じ形だったから。昔は作りがしっかりしているというのが売りだったが、今はこれがオシャレだというので売っているらしい。

一方この日の僕は、サムほど実用的な装いではなかった。握手しようと手を伸ばした時、急に自分の服装が意識させられた。ビーチサンダルに、褪せたブルーのゆるいジーンズに、だるだるのTシャツ。余りにも新参者然として、余りにも四十代会社員然として、余りにも鬼佬（ガイジン★）然としている。

妹がある晩電話で「ヒモ相手に、わざわざ〝僕はカモです！〟って叫んであげてるようなファッションだね」と言っていた。要するに僕は、香港に夏以外の季節があるという考えを持っていなかったのだ。この頃はすでに十一月に入っていたにもかかわらず、ホテルから中心街にある会社までの短い道のりで汗だくにならない日はなかった。僕は初対面のあの瞬間、サムに抱かれたであろう負のイメージを払拭しようとしていた。あんな恰好で出向こうものなら、父なら僕をヨットに乗せるのを拒絶しただろう。濡れた綿は体温を奪い、延々と乾くことがないのだから。

僕らが出会ったのは、島に三つある不動産屋のうち、英語で案内をしている唯一の店だ。このサムという男が島中の物件を管理しているのだと紹介されて驚いた。またしても僕の鬼佬思考が出た。そのいでたちから、この男性をただの修理業者の研修員か何かと誤解していたのだ。なにせ彼は若々しく、見た目にはとても、複数の案件を抱えた敏腕ビジネスマンといった趣はない。件の冬物コートの他には、野球帽にジーンズという装いだった。その肌は漁師のように浅黒く、防寒着の膨らんだ輪郭を通しても、サッカー選手のような体つきをしているのが分かる。なんとも朗らかな顔つきで、大家という言葉に連想されるような陰気な感じとは全く違う。その上サムは英語も達者だった。係員が鍵を持って来てくれるのを待つ間、ロンドン大学で土木工学の学位を取ったのだと話してくれた。なんと彼は学生寮に、僕は同市のブルームズベリー地区のマンションに、つまり数ブロックと離れていない場所に同時期に住んでいたらしい。ずいぶん昔のことではあるにせよ、だ。その時分に道が交わることは、何故かなかったようだが。

鍵は届いたが、このアパートは余りよろしくなかった。というのも、まだ改装工事の最中で、トイレの機能が整うまでにすらしばらく時間がかかりそうだったのだ。とても住めたものじゃないし、こちらも別に即断即決を迫られた状況ではない。この時サムの顔を見ていなかったら、僕はこんな物件には目もくれなかったはずだ。

「ええーっ?」とサムは狼狽の悲鳴をあげた。落ちていた段ボールの切れ端を摘まみ上げ、それを観察すればこの状況の謎が解けるとでも言うようにつぶさに見つめている。「失敬、こんなことをする部下じゃないんだ…。普段は文句なしに優秀な男でね。数週間前には整備が終わったって、言ってたはずなんだよ…」

「ああ、成程」と言ってから僕は言葉に窮し「一度も様子を見に来なかったのかい?」と咄嗟に付け加えた。

サムは今度はキッチンに飛んで行って、あちこちにペンキが飛び散ったキャビネットを引っ掻き回している。シンクがあるべき場所にはぽっかりと穴が空いていた。僕はこの不動産失敗シアターを演じるサムを見ながら、己の中にある鬼佬的恥じらいの気分が一時的に洗い落とされるのを感じた。

身体から緊張が解けたのが分かる。

「この夏中、私はアメリカの兄さんを訪ねていてね。先週やっと帰ってきたばかりなんだ。兄さんの妻さんが亡くなって、子供の面倒を見る人間が必要で…母はもう歳で飛行機は堪えるから…うん、いや、申し訳ない…」

ほう、サムには子供がいないらしい。パートナーや恋人もなし？　仕事関連で急ぎの用事もなしか？　困っているお兄さんを助けに行く妨げは、確かに何もなかったようだ。最近じゃ、家賃は自動的に集まってくるものだし。

サムはコートを脱いでしゃがみ、シンクのないキッチンカウンターの足下のゴミを拾い始めた。腕が剥き出しだ。この腕がご兄弟の子供たちを公園の滑り台から持ち上げたり、チャイルドシートに乗せたりしているのを想像してしまう。

「ホントに、ホントに申し訳ない。てっきり、もう出来上がったものだとばかり…。いやでも、整備が終わったら実に良い物件なのは保証するよ。もし数週間お待ちいただけたら…」

声の調子に妙な説得力があった。いや、それ以上に半分疑心暗鬼にはなっていたのだが、こちらは理由が知れている。僕のような新参の部外者（ガイジン）は、こうして他人の親切心を当てにして、時に気まぐれに左右されるものなのだ。と言っても僕はそこまで無力なわけじゃない。法律は分かってる。でなきゃアジア文社だって僕をお呼びではない。言い添えるなら、サムと僕が立つこのアパートからは、遮るものもなく見事な青い海が臨めた。外を眺めていると、あの夏にアイスクリームでベタベタの指で本を読んだことや、フランスのビーチでキャンプをしたこと、波の音に乗って聞こえてくる父の声、ヨットの上で頬を撫でる風などが思い出される。このアパートは島の比較的静かな場所にぽつんと建っているのだが、フェリー乗り場からもほど近く、出航五分前に出れば容易に乗船出来るそうだ。サムが屋上テラスもあるのだと付け加えた。そんな場所、見てしまってから手放すなんてあんまりだ。僕はここに決めてしまおうと思った。

「他に空きはなさそうかな」

僕は他人の意図を読み違えるタイプでも、はたまた詐欺に合うようなタイプでもない。このアパートに来るまでの道中、サムは家族で所有しているという他の物件も紹介してくれていた。どれもリフォームしたてで、ガラス張りのバルコニーや個性的なタイルで彩られたものだ。いずれの物件も綺麗に管理されていて、まあ、残念なことに(もしくは幸運なことに)すでに皆取られてしまっていたことが分かった。

サムは野球帽を少し持ち上げてぽりぽりと頭をかいた。脇の下が露になり、黒々とした毛束二つが絵筆の軌跡みたいに輝いて、普段日に当たらない分明るい色の肌に映えていた。イギリスの冬とは、確かにまったく別物だ。

「お時間に余裕があれば、場所を変えて話さない？　ペンキの匂いで頭が痛くなってきたよ」

サムが僕を連れてきたのは、年季入りの材木とビールの香りが漂うパブ。この土地がイギリス植民地だった象徴的な名残にして、白人男性の地位と名誉の最後の砦だ。飲み物を注文すると、ありがたいことに、サムが誰もいない区画に案内してくれた。僕らは湾を見渡すテーブルに向かい合って座る。

「ここにはよく来るのかい」僕は自分でも驚くほど毒気なく尋ねた。

「ぜーんぜん。イギリス人にはパブの方がくつろげて良いのかと思って来ただけさ」

僕は憤慨の意味でジントニックから顔を上げてみせた。これでなくても、この国の会社の新しい同僚たちが僕を見る目ときたら、僕のアイデンティティを〝イギリス〟のみ残して、他は全部ひん剥いてしまっていたというのに。どうやら香港までの九時間のフライト中、上空のどこかしらの地点で、僕は文化的探究心に溢れた人間から、単なる目立つ変人に変わってしまったらしいのだ。

「冗談だよ」とサムは言った。「ダークアンドストーミーってカクテルを正しく作れるのは、うちの島じゃこの店だけなんだ」

サムがこの島に生まれたのは、ヘリポートが出来るほんの数年前のことだった。その頃はまだ、お腹の大きな母親を九龍の病院にヘリコプターで輸送するなんて芸当は存在すらしなかった。ヘリポートの土地を所有していたのがサムの父親だ。この土地を売って得た金で、島中のボロ物件を買い集めてはリフォームし、それを貸し出していたらしい。サムは父親にあちこちついて回り、家屋の修理を手伝ったり、働く男たちのトレード自慢を聞きながら育った。女でも、船でも、値のつくものならなんでもトレード可能らしい。「でも父はもう亡くなってね。今じゃ援助が必要な親類も、父の土地も建物も、私が面倒を見てるんだ。そういうのは不得意なんだけど、でも頑張ってるところさ」サムの乾杯でグラスがチンと鳴った。

「文句なしの人生じゃないか、うらやましいよ」と僕は言った。

サムの目が、二人の友好関係の破綻を仄めかすように僕を捉えた。

「家賃が一生無料なんだろ、最高じゃないか」

関係の破綻は保留となったようだ。サムは目を輝かせて笑い、僕の肩に腕を回した。

「ごもっとも！　その点は確かに文句なしかもね。アンタはどうなの」

「家賃？　払ってるよ」

サムはダークアンドストーミー片手に笑っていた。彼が近づいてくるのが分かった。その太ももが僕に触れた。いや、僕が近づいて行ったのかも。

僕らはもう一杯やることにした。そして更にもう一杯。サムは父親について今少し語り、一緒に釣り旅行をした話を聞かせてくれた。最後のフェリーが出たずっと後、真夜中に出発したこと。釣果の魚の最後の一匹が半分死んだようになったのを、半分死んだような婆さんが勉強の末にやっと買ってくれたこと。ベッドに入ったのはもう朝の八時だったこと。僕は小さい頃のサムが両手を伸ばして、客が差し出したビニール袋に魚を放り入れる様を想像した。

今度は僕が、父とのヨット旅行前、眠れず迎えた朝のことを話して聞かせた。（サムはこのヨットがほとんど原始的に帆風を頼りに動いていたと知ってずいぶん驚いた。モーターは？　そっちの方が早くて良いのに！　こんな言いぐさを父が聞いたら驚愕するだろう。僕は大いに笑った。父には、あの太いロープや頑丈な帆先がロマンなのだ。）父は最近他界し、今や僕が一家の長なんだと聞かせると、サムは理解を示してくれたような顔で神妙に頷いた。サムはまだ僕にぴたりと密着していて、彼の匂いが分かるくらいだった。嫌な匂いじゃない。これがサムの匂い。僕は黙っていた。すごく楽しく思っていたし、誰かと楽しく会話するのは本当に久々だという気がしていた。

この晩は、僕がアパートを借りるということで合意して別れた。従業員を急がせて準備するとサムが保証してくれた。二週間か、遅くとも三週間後には完成するということだ。僕はその場でホテルに電話して滞在を延長した。サムはそんなことしなくて良いのにと言っていたが、酒の勢いでもつれ込むようなことはしたくなかった。本気を示したかったというやつだ。敷金なんかの話をするため、数日後また会って飲むことになった。サムはコートの前を閉め、手を振って立ち去った。

「また来週」

「楽しみにしてる」

この約束が忘れられたり、ドタキャンされるような軽い類のものでないことを願っていたし、実現しないわけがないと高を括ってもいた。それから、妹の不吉な予言が当たりませんように、とも願っていた。

‡

約束の日が父の葬儀当日だったのだ。妹からの恩着せとあてつけと糾弾のメッセージが止まず、せめて通知を止めようと携帯の電源を落としていたのだが、大した意味は為さなかった。鳴りやまない携帯のビジョンが頭から消えてくれなかったからだ。悪いことは重なるもので、サムも十五分も遅れてやってきた。妹のおかげで携帯電話以前の時代の不安を味わう羽目になった。サムと連絡も取れないし、きっと場所の変更だか予定のキャンセルだかを聞き逃して今日はもう会えないのだろうと僕は自分に言い聞かせ、パブが閉まるまで一人でジントニックを何杯もやる覚悟を決めた。避け得ぬ運命に従おうと腰を上げかけたその時、あのコートを着たサムが息を切らして駆け込んできた。

それで事態は進展を見せた。僕らは未完成の、しかし前回よりずっと綺麗なアパートに来ていた。「私は約束を守る男だぞってのをね、アンタに見せようと思ったんだ。従業員のヤツらも頑張ってくれたし」言いながら、サムはコートのポケットから青島ビールの缶を四つ取り出した。

従業員が頑張ったというのが事実かどうかは大して重要じゃない。なにせ僕はもう賃貸契約にサインしているのだ。未完成のアパートで契約を決めた言い訳に酒を持ち出さないようにと、ここに来る途中エージェントの事務所に立ち寄っていたから。そんなことよりも今重要なのは、サムがコートを脱いだことと、缶を開ける時の前腕が大胆に、セクシーになったことだ。

「のみなよ」

気がつくと、サムのシャツを乳首までまくり上げてその臍下の毛をつぶさに眺めていた。僕らは酔っていて、契約で結ばれたばかりで、その契約というのも、夫とし妻とするやつじゃなく、家主とし借主とする方のやつだ。書き換えるおまじないなんかがあるわけじゃない。僕がサムの臍下の毛を上下にこする動きにも、それを拒めないサムに働く見えない力にさえも、そんな効力はない。この瞬間、僕は父が死んだことなんて頭になかった。葬儀はきっと今頃、古びたボートハウスで始まっていて、妹が鳥の形のヘッドギアを被って会場の隅っこに立ち、牧師の言葉遣いが嫌だとか、出された牡蠣が冷えてないだとか文句を言っていることだろう。

人生何事も、何かが何かの口実になっている。アパートの下見は我々が会う口実、契約の為というのが酒を飲む口実、酒を飲んだのが服を脱ぐ口実だ。口実の上に口実が重なりに重なり、生活のルーチンとするには余りに重く暑苦しくなってきた。サムは毎日のようにアパートの様子を見に来ないかと誘った。

僕は遅刻ギリギリで出社するようになったし、勤務中にも何度もあくびが出た。同僚がひそかに目配せし合う。あの鬼佬は何かしでかしているぞ、業績は確かなのが厭らしい、と。僕が六時きっかりに退勤するたび、小言を言う人間は減っていった。そんなことはどうでも良い。港の向こうでサムが待っている。

サムが言っていたように、アパートは三週間ほどで完成した。四、五週間かかったって構わなかったのに。引越し当日には、フェリーから家具を下ろし、村の隘路を通って、急な階段を上がり、アパートへ運び込むという重労働を手伝ってくれた。この瞬間を恐れていたんだ。最後の家具が冷たいタイルの床にガタンと着地して、はいおしまい。これが最後の逢瀬になる。下見だの会議だの、そんな口実はもう無効だ。それについてサムは一言も言わなかった。僕も言わなかった。

でも真新しい家具にも、魅力的なこのアパートにも僕らを引き留める力なんかない。サムがこの島のジャングルにハイキングに行こうと言い出したのだ。道中、男同士の二人組と何度もすれ違った。一度目は中国人と中国人。二度目は中国人と白人。三度目はインド人と中国人。あの人たちは僕らと同じだろうか。僕ら二人はどう映っただろう。サムはどう思っているんだろう。サムは何を期待していたんだろう。僕はそれにちゃんと応えただろうか、期待外れじゃなかっただろうか。

直接聞くのは釣り旅行に行った時にしようと思った。久々の釣り旅行だ。父が死んでからこんな早いうちにその時が来ようとは、想定外だった。

男は感情を語らない。男は感情を飲み明かすのだ。そんな社会的な圧力は、しかしここにはなかった。奥地にはついてこないものらしい。それで僕らが重ねに重ねた口実は、海岸に脱ぎ捨てられた。僕ら二人と海だけだった。

サムのモーターボートが早朝の暗闇に沈むのをじっと待っていた。僕らの小島は背景の暗闇に溶け込み、鴨脷洲(アプレイチャウ)とアバディーンの夜景を掻き消していった。出航前、サムに追いつこうと桟橋を駆ける僕の姿を見て、年老いた漁師の妻が歯のない口で笑う様を思い出していた。

サムがモーターを切ると、海も空も何もかもが一気に剥がれ落ち、僕らの静寂の島だけが後に残る。

「この関係ってなんだろう」

サムが釣り糸を長く出し、僕の疑問は気持ちの良いポチャンという音に落ち着いた。

「同じこと考えてた」

サムは黙って背を向けた。僕は一瞬、全てを壊してしまった気がした。

「どうしてかって…」

「家族には言えないんだ。知られちゃいけない。分かってもらえないんだよ。それだけはダメなんだ」

その声は険しく、ところどころ上ずっていた。サムが期待していた僕は、彼の冬物コートの襟首を掴んで、クローゼットから、家族から引き剥がしてくれるような男だ。僕が同じ経験をしただなんてサムの知る由じゃない。あの詰まらない男が、「正直に生きるための人生の進歩」なんて口上で僕の愛を人質に取った時、その進歩ってのは家族の内情や私生活にはなんの思いやりもない代物だった。僕は人質事件なんか勘弁だ。満たす必要のないニーズだってある。僕はただ、本気で投資に勤しむ前に、ちょっと投資先の品質保証をしたかっただけなんだ。サムの調子に合わせた声色で話そうと思った。こういう重たい質問は自分をさらけ出させるものだが、さらけ出すというのは、弱るのとは違う。「良いんだ。僕だって家族には言えない。そんなのが欲しいわけじゃない」

「じゃあ何が欲しいの」サムが聞いた。

「いいもの、かなあ」

「いいものなら持ってる」

サムが僕の膝に手を置いた。キスはしてくれなかったが、きっと彼は本気だ。僕は自分に言い聞かせた。それだけでよかった。

あの漁師の妻に見せてやりたいものだ、と思いながら僕は二十キロ弱のハタと二匹のアジを抱えてボートから降り立った。サムはあのコートを脇に抱え、収穫を市場に持って行った。

‡

三日が過ぎ、一週間が過ぎた。人質事件なんか勘弁だ。そんなこと起こるべきじゃない。しかし僕は、契約に囚われ、自己欺瞞に囚われ、返事のないメールに囚われていた。いつもの場所へも赴いた。植民の名残のあの場所、不動産の事務所、市場にも。

一日のうちでも、時間帯を分けて行ってみもした。滞在間隔を変えてみもした。毎度一杯しか注文しないのをバーテンが訝しんでいた。急に親切になったのをエージェントが不思議がっていた。

何も買わないのを、商人たちが不思議がっていた。サムはどこだろう。住んでいる場所さえ知らなかった。

破壊に頼ろうかとも考えた。僕が何かしら壊してやれば、サムは修理に来ないといけないはずだ。ハンマーで水道管を叩き壊してやろうか。洗濯機の中にレンガを入れて回したって良い。窓を割ることも出来る。そうすれば、サムの注意を引けるだろうし、僕の中で鬱屈と折り重なっている物にも区切りがつく。けじめ、終幕、解放。呼び方はなんでも良い。

妹が僕を嘲笑する様が浮かんだ。キッチンカウンターにもたれ、片手でブレスレットを揺らしながら、今まで何度もそうしてきたように、僕が苦しむのを眺めている。当然の報いだと仄めかすことだろう。選んだ道は自己責任だとか、因果応報だとか言うだろう。父が空で見ている、などと嘆いてみせるだろう。僕の秘密は父にバレていると仄めかすだろう。出まかせのハッタリだと、お互い分かっていてもだ。父の葬儀に来てくれればと、大袈裟に悲しんでみせるのだろう。受けた仕打ちの全てを忘れてやらない、僕が薄情だと言うのだろう。自分だって忘れてあげられたのだから、兄貴にも出来るはずなのに、と。だが妹が僕に求めているのは、あの船出以上の何かを忘れることだった。父が息子と娘の区別もつけられなくなってから、僕はあのヨットも、父名義の何もかも売り払ってこの仕事に就いた。それもこれも全て、忘れるためだ。

夢から這い出るように意識がはっきりしてくると、僕は通りの真ん中に立ち尽くし、どんどん離れていくサムを見ていた。サムは僕に気づいていなかったが、僕はジンで霞む視界の端に彼をしっかりと捉えた。

視界がぼやけ、何某か言葉が交わされたような、叫び声のような、行き交う人々に変な目で見られたような気もする。気がついたら、自分の手がサムの肩に置かれていた。サムは僕に背を向けていた。彼がこちらを向く直前、僕らの周りは、先走った時間が止まってしまったかのようだった。サムの肩越しに、真っ白なタイルと華奢な鉢植えに囲まれたドアが見える。鮮やかなピンクの葉もあれば、深い紫の葉もある。こんな繊細な美の裏にはどんな職人がいるだろう。女性だ。

玄関に女性が現れた。と言っても、僕の思っていた女性、要するに妻じゃなかった。布告に遣わされたのは妻じゃなく、サムの母親だ。母親は彼にあの冬物コートを手渡しながら何か吠えていた。命令。勅命だ。その副官たる相続人への、家母長的な申し渡しだ。この女性がドアを閉める前、目が合った。あの目は何かを知っている目だったかもしれない。僕の思い過ごしかもしれない。僕を引きはがしたサムは憤怒の表情だった。鼻の穴が開いている。その激昂ぶりは闘牛の牡牛を思い出させた。僕を引っ張るその強さもだ。どこへなり連れていかれる僕。サムの管轄の生物である僕の愚かしさ。まるで必死に生きる下等生物だ。サムはビールを一本買った。五本買った。僕はご主人を待つ犬みたいに店の外で待ってた。そして僕らはあのジャングルに入っていった。

背の高い草の中、一体どの道を通り抜けたのか、それともサムが体当たりで道を拓いて行ったのか、よく思い出せない。列をなす兵士たちが黙りこくって、王様がずんずんと通り過ぎるのを注意深く見守っていた。サムはビールを一気に飲み干すと、一瞥もくれずに缶をその辺に放った。僕は未来の考古学者がこれを掘り起こす様を想像した。考古学者というもの自体、ずっと先の未来にあるかどうか見当もつかないが。

開けた場所の真ん中にコンクリートの地面があった。サムと僕はそこに座った。夜が近づいていた。

「アンタ、一体なんだっての」サムが口ごもるように言った。

「こっちのセリフだよ。なんだって言うんだ」僕も口ごもりながら返した。

「ボートでアンタに話したこと覚えてる?」

「いいものなら持ってるって?」

「いや、うんそうだけど…。別のことも話したろ、覚えてる?」

「家族には言えないってやつか」

「それ」

「で、その何が問題だって言うんだ?」

「全部だよ！」

「誰にも言いやしないよ！　君の方こそ、いいものは持ってると言いながら、その挙句一週間も僕を無視したんだろうに。消えていなくなったかと思ったよ。サム、理解出来ない」

「…ねえ、アンタは良いヤツだと思ってる」

「けど？」

「けどちょっとやりすぎだ。二人っきりで一緒にいすぎたんだよ。村の人たちが勘づいて喋り始めた。分かる？　噂が立ってるんだ」

二人でハイキングに出かけた時にすれ違った男ペアの面々を思い返していた。あの人たちのことを話したかった。

「分かったよ。しかしアパートの様子を見に来いだとか、ハイキングに行こうだとか、まして釣りだって言い出しっぺは君だろう。ちょっとしたゴシップすら嫌がるようなら、端から誘わなくたってよかったじゃないか。どうして…」

「だってそれは…分からないよ」サムが自分を探り当てようと、空っぽの感情の瓶を引っ掻き回しているんだろうと分かった。

「成程」

「さあ、義務みたいな気持ちだったかな。だから誘ったのかもね。アンタが、苦労してて、気の毒な気がして…」

「気の毒？」

「そうさ！　単身ここへ来て、父親は死んだばかりと言ってただろ。気持ちが分かるから、居心地良くしてやろうと…歓迎してやらなきゃと思って」

僕は鼻で笑った。「へえ、そんなので良いんだな、君は。哀れな飲み友達を同情してやっていただけだと？　お情けで寝たというわけだな？」

「多分、いや。分からないんだよ、どうしろっての」

サムは黙りこくって自分の手をつぶさに観察し始めた。鳥の声が、虫の音が、ジャングルのざわめきが耳を満たす。空地は真っ暗になっていた。地面のコンクリートが冷たい。「…違う、お情けで寝たんじゃないよ。アンタは他の鬼佬とは違う。なんでかは分からないけど。出来ないことはあるって、分かってくれただろ。アンタだって家族と同じ泥船に乗ってるんだろ。分からないよ。上手くいくかもって思い始めたところだった、かも。そしたらアンタが急にひっきりなしにメッセし始めて、そしたら母が…。母さんがボクらの噂を耳に入れちゃったんだ。そしたら急に、一人でいるのは寂しいだとか孫の顔が早く見たいだとか言い始めてもう…」

立ち上がってキスした。今度はサムからも返ってきた。あたたかく、ゆっくりと。サムが仰向けに傾き、コートが脱げて毛布のように敷かれた。コンクリートの地面の上で、コートが裂けるのが聞こえた。今夜、お情けなんてどこにもなかった。

終わる前に、終わると分かる瞬間もある。僕はその辺りの勘が鋭い方で、そういう時は口の中に酸っぱさを味わうのだ。

サムから身体を離した時、空地は夜明けの光に満ちていた。目をこすりながら周囲を見渡す。割れるような頭痛の中で、僕らの背後、コンクリートの地面の丁度反対側に小屋を見つけた。子供が入れるくらいの大きさのレンガ造りで、入り口は封鎖され、何か金色の文字が書かれている。

僕はサムを揺すって起こした。

「あれ、なんだろう」

サムは目をこすりながら僕の指し示す方向へ目を細めた。金字をぶつぶつと声に出しながら追いかけている。

「まずいな」

この時だ、終わる瞬間の味が広がった。

「どうした?」

サムは首を振ると、唇に手を当てた。ポケットから取り出した携帯の画面には、不在着信が一〇〇件以上、未読メールが数十件も表示されていた。

「仕方ないな」サムはあくびをした。「立って。私はもう行かないと」

ごたごた抜かしちゃいけないのだろうと察しつつ、木立を急ぎながら僕は「あの金字のレンガ小屋はなんだったんだ？」と聞いた。

「ご先祖様さ」

ああ、そうだ、当然だ。ご家族のお墓だ。僕は背の高い草の中立ち止まり、またサムを追いかけながら叫んだ。

「サム、すまない。本当に、知らなかったんだ」

どこの村だろうと、プライバシーは尊厳の一つである。しかし、あのジャングルの奥地で僕らはまだ二人っきりではなかった、だなんて。ご先祖様は全部見たし、全部聞いてしまった。きっとなんだかスピリチュアルな暗号だか念力だかで、すぐにサムの母親に啓示という形で伝えてしまうのだろう。

「分かってたよ。知ってるワケない。アンタ鬼佬だもん」

そう言ってサムは肩をすくめ、また枝をかき分けて進み始めた。腕がまた剥き出しになっている。

コートを置いてきてしまったんだ。しかし、どこに忘れたか教えてやる代わりに、振り返って取りに行ってやる代わりに、僕は微笑んだ。賃貸契約の早期退去の条項を後で読み直そうと、心に留めながら。

★

鬼佬▼西洋から来た白人を指す広東語。

砂時計

アビエル・Y・ホック

「なに考えてるか、当ててあげよっか」ソファの隅でひな鳥みたいに座っている私に、君は言った。私以外の誰の趣味にも合わないような奇抜で豪奢なストライプ柄のソファは、初めて銀行から出た給料で、初めて自分で満額出して買ったお気に入り。

分かるわけない、と私は思った。

「どうやったら無様にお願いせずに、私を裸に剥けるかなって、考えてるんでしょ」

事実じゃなかった。だけど不安は的中。その言葉を口にされるともう、本当にそれしか考えられなくなる。裸。どうしたら裸になってくれる？　昼も夜も夢にまで見たその乳房。いくら味わっても足りない。オフィスでペンを取る時は必ず君のデスクまで行ってかがんで手を伸ばす。そうするとギリギリ君の乳首にこすれて、右のが左のより硬くなってるのが見て分かる。

「性癖(キンク)教えてよ、変態さん」性癖(キンク)て言葉は口に出したのも、なんなら聞くのも初めてだった。半分バングラ語で半分英語。どういう由来でできた言葉なんだろ。既に知ってる物事を敢えて教わる時みたいな、そんな感じで君は口の端に笑みを浮かべた。

「私は着たままますんのが好き」私は続けた。「半裸つっても、逆ね。おっぱいはしまったままで、下だけ脱いでよ」

これも事実じゃなかった。でもこう口に出してみると、プレイとはなんたるかっていうのが分かってくるね。もっと言うと、私はなにが欲しいんだろうとか、女を愛する女としての私って何者なんだろうとかの、答えの一端も見えてきた気がする。

最初は君のこと、リアルの人間とは思ってなかった。なんでかって言うと、君という現象自体があり得ないと思ったから。いや、起こってるんだから実際あり得てるんだけど、でも起きてる最中にすらあり得ないって思う感じ。無論、実在してくれないと君を欲せないんだけどね。でもとにかく私は、君を見ると自分を見失っちゃうんだ。それで君をなにかのシンボルか、モノみたいに扱っちゃうんだよね。あまり気にしていないみたいで都合が良かったよ。さすが、悪名高き性豪。君は自信に満ち溢れてもいた。

「寝て」この先ちゃんとエロい筋道があるみたいに私は命じた。思春期男子の脳みそをフル回転させながら。

「脱がしてくれないの？」君は見くびるように嗤った。

外では今日最後の礼拝が金属的な音を響かせてる。角にある青と白のモスクの入り口は、幸運にも別の通りに面しているのに、それでもその掛け合いの声は、リードも復唱も、両方が私の部屋に響いてきた。

「脱ぐとこ見せてよ」と私は答えた。

そしたら見せてくれた。この手のゲームはお手の物ってことね。一方の私は映画や本で見ただけの浅知恵でほぼ手探り。自分の手の上で実際に躍らせてやろう思ったら、持ってる知識じゃ不十分すぎた。あんまり煽情的に焦らしながら脱ぐから、その指がなぞる肌を私のかと錯覚したくらい。リクエスト通り、君は逆から脱ぎ始める。まずサルワールがその足元に落ちた。丁寧な手つきでカミーズを持ち上げると、剃り整えられた陰毛とアソコが露になる。もう濡れて光ってる。カミーズのきゅっと締まった胴部を、ブラが露出するまで少しずつずり上げていく…。

「ストップ」私は言った。「そのまま」

‡

初めて自分がレズビアンなんじゃないかと思い至って、怖くなった時のことを覚えてる。君と出会う何年も前のこと。でも、私が男という生物の存在に気付いた何年も後のこと。私にとっての恋心というのは、年齢が二桁台に達した頃に始まった、切なくて必死な思いのことだ。この頃は胸なし、ヒップなし、下の毛もなし。でもドゥパッターの布のV字の重なりが抑え込む制服の青と白の下で、胸のあたりの肌が静かに痛んでいた。欲望。音もなく迅速に私の身体を支配して、他のなにからも切り離してしまうもの。情欲のレンズで視界が濁りきった少女だった。

思春期の私はゆっくりと着実に、己のジェンダーに基づいて、周りの景色を見つめるようになる。どこに注視するかってのは性の影響を露骨に受けるんだ。都合の良いものしか見ないから、街の景色が私の性欲のために用意されてるみたいに思えてくる。だって女たちはダッカの周辺の村に、スラムに、寄宿舎に、鮮やかなコントラストのカミーズを身体にぴったりと密着させて巻いて、そんな恰好で急ぎ足で仕事に向かう。サルワールパンツの中で足を組んではくねらせている。こんなの序の口。女体はどこにでもある。家にも。学校にも。通りにも。他になにを見ろって言うんだろ。

通っていたシャンティナガルの学校は男女共学。よく言う通り「重要なのは男の子」ってね。最初のうちは私もそうだった。リドイ、アカシ、ジョイ。皆好んで私の肩を叩いたし、振り返る私も満更じゃなかった。ジョイなんかに対しては、正直熱いものを感じた気もする。ジョイが私の机の前を通り過ぎる時、腰とか鎖骨、頬が熱くなるのが分かって、顔を下げていたのを覚えてる。顔にかかる前髪が揺れるの自体、前兆みたいなものだった。

けど君についての話に戻ろう。君を初めて見た時のあの、頭皮が粟立ってひりひりする感じ。角部屋のマネージャー男とドアの入り口で喋ってる君を見た。このオフィスからはグルシャン街道二号の渋滞を見下ろすことができる。七階まで上がってくると本当に静かでびっくりしちゃうけど、あの地上まで降りたら、実態は猿山レベルの騒音。雑然と動いているように見えたものが、こうして俯瞰すると、同心円状に動くきちんとした交通のしくみに変貌する。車の間を縫うように道行く物乞いや歩行者まではこの高さからじゃ見えない。瞳のレンズがシャッタースピードを落としたみたいに、細々したものは全部飛ばして処理される。看板も、高層ビルの側面にポスターが貼ってあるみたいな縮小具合。夜のネオンや看板も、明るい街灯と変わらない。

君のその、物憂げながらも威厳ある…なんていうか、ヨガマスターのラスボスって感じの、その姿勢がまず目についた。カミーズはその日の朝にパリっと糊付けされていたんだろうけど、午後の暑さで胸の部分の布がだれて皺が寄り始めていた。もう少し見つめてれば愉しくなりそうだったけど、その午後はとにかくそこでやめたんだ。無造作に巻かれたドゥパッターで半分隠れた胸の下では、重く、丸くぴったりと、青い綿が輪郭をかたどっていた。片方の乳首がブラの間からかすかに押し出て、布を少し持ち上げていた。

君は私の初めてじゃない。それについては寧ろラッキーだと思ってる。私の初めてがそもそも私の初めてじゃないんだけどね。どういうことかって言うと、大好きな叔父の許嫁の女性だったんだ。赤いチークと魅惑的な片えくぼの人だった。最初は単なる思い付きで、エロい目で見始めただけだった。この女性と初めて出会った場所、プラーン・ダッカの狭い旧世界の路地で、サダー・ガットの黒い水の上をボートで進んでる時に、私はそんな悪いこと考えてた。叔父がオールを交互に引いて進むと、徐々にあのどでかいピンク色の邸宅が見えてくる。あの頃はこの建物の派手さが本当に大好きだった。太陽の光が湖に浮いた油を古い黄金みたいに映した。同時に、私の心も彼女の手の中に移したんだ。

この感覚。最初は畏敬の念みたいなものだと思い込んでた。こう、とんでもなく綺麗なものを見て、心を奪われるって言うか。そのうちミザンママ叔父さんと結婚した彼女を見て、今度はこの気持ちを称賛の念と捉えなおした。こう、プラトニックな、真実の愛って言うか…そんなのが実在すればの話だけど。ほら、分かってくれると思うけど、正直怖かったんだ。だって、バングラデシュで夫を探そうって言うのがそもそも大変なのに、夫じゃなくて妻が良いだなんて言い出したら、もうどうしようもないでしょ。

大学時代は毎朝、格子窓の向こうに聞こえるカラスの鳴き声で目覚めた。カラスってやつは、近所に自然がなくなっても、角通りの静かな池が埋め立てられて高層ビルが建っても、都会の鳥としてこの場に残ってる。空を横切る太くて黒い電線に何羽も止まってた。その日、徐々に明るさを増していく朝の空気の中、私は肌からジトジトした夜を洗い流し、綺麗なカミーズを着て出発した。シャンティナガルからウッタラまでは、ゆうに三十分か、下手したら二時間もかかる。初恋の人に会いに行くんだ。ヘアオイルで整えた髪と、チャーミングな片八重歯、汗と香水の混じった仄かな香りを纏う彼女。不器用で口下手な物理の個人講師、カンタのところへ。

これを初恋と呼ぶのは、私の逼迫したどうしようもない感情に誰かが応えてくれて、その先まで導いてくれたってのが初めての経験だったから。恋心に備える術なんて、実際あるわけもないんだけどね。でもカンタが手を握ってくれる前まではなんにも期待なんかしていなかったのに、その手に触れられると、今度は他のなんにも考えられなくなった。

その章の復習を終えたところだった。私の頭の中は、飛行機の軌道がどうだ、風速がこうだ、ああ、問題文が長すぎて読むだけで時間を食うなあ、とかそんなのでいっぱいだった。

それまで誰ともキスをしたことはなかったのに、カンタの唇が私のそれと触れ合うのは、なんだか馴染みのある感覚で、あんまり自然だったんで、後からほぼ思い出せなかったくらい。その髪の毛にしみ付いたココナッツの香り、二人で食べたお菓子、呼応する身体の曲線…全てがぴたりと重なり、意味をなしていた。砂時計の形を二つ沿わせてぴたりと合わせようと思ったら、少し縦にずらさないといけないと思うだろう。カンタとの午後、じっくりと理解したのは、女体って言うのは不可能な前提も受け入れて飲み込んでしまえるってこと。正弦曲線が入り込んで、隙なんかないと思っていた部分に、嘘みたいにぴたりと嵌ってしまう。胸、太もも、腹、口、それから熱を帯びた中心部。その名前を言うのもしんどい。アソコは特に。快楽の暗黒。柔らかさで溢れてる。どこも、かしこも。

カンタと別れたのは冬にさしかかった頃。外の空気が冷えてくのが、なにかが乾いていく前触れみたいだった。物理学の最後の授業を受けた直後、習ったことの全部がこの頭から抜け落ちていった。カンタがついに言わなきゃいけないことを言ったから。いつものようにとつとつとした調子で、でもベクトル式みたいに明快に一つの方向に導く言い方だった。行く先は真っ赤なバツで示してある。

とても真っ直ぐ帰る気にはなれなくて、三輪タクシーにランプラのテレビ局の前で降ろしてもらった。

ミザンママ叔父さんは結婚して妻さんとチッタゴンに引っ越していたんだけど、ランプラに職場があったのでよく遊びに行ってたんだ。暫くして私はやっと家に帰った。

最終的にはカンタのことを乗り越えたよ。でも、次は男に恋しよう！　なんてことにもならなかったんだ。まだまだ未練を感じさせる女性たちがいた。私をパッと振り向かすような一瞬の微笑みや、しなやかに細く伸びる前腕、可愛らしい、鋭すぎる顎。カンタが入れたスイッチは、もう元には戻せなかった。

二十代の間、私は自分の欲望に怯えて生きてきた。情欲を煽るものは全部無視してきたんだ。この年代のバングラデシュ人女性が置かれている社会っていうのは、しつこい結婚の申し出、それを断ろうもんなら、不躾な質問攻めだとか、自信喪失が付き物。そういうものを一切無視して静かにしているのは至難の業だ。できることと言えば、「女性を愛することは間違ってる」「男性を愛することはそれ以上に間違ってる」と、あれに屈服しちゃいけないと、自分に言い聞かせること。己の恐怖を抑止力にするくらい。

ううん、実はカンタの後に誰もいなかったってわけじゃない。通りすがりの人々との戯れ、ちょっとした仕草の応酬、もっともっと小さな、個人的な妄想なんかは常にあった。あのNGOの、労働者の権利を守る会の舌鋒鋭い女の人。あの人はずっとそばにいてくれたし、お互いの家庭のこととかなんでも共有する仲だったけど、手を握る以上の関係にはならなかった。またある時は、マッサージ師の女の人が……──多分胸を押してくれた時に私が反り返って悦んだのに気付いたんだと思うけど──とにかく、下の方へ手を動かしてくれて、私はもう準備万端とばかり、ぬるぬるになって震えてた。一番記憶に残ってるのは、ティーンの頃に両親に引っ張られてアメリカからやってきた、二番目の従姉のイムティ。あの子が「貞操の夏」だとか呼んでいたものを、二人してどんな手を使ってでも破ってしまおうって魂胆だった。

その夏は毎晩、イムティと二人でベッドに寝転んでセックスについて語り合った。あの子が来てから一週目の夜、水を飲もうと起き上がって彼女が寝てる横を通った時、イムティが手をアソコにやって一定のリズムを刻んでいるのに気付いた。自分がさっきまでしていたのと同じような動きだった。この時まで、二人ともどんなに静かな動きで性欲を発散してたんだろう。その次の回から、体の芯が白熱する時は溜息のような声を出すようになった。イムティもすぐにこれに倣った。まあそれとは別に、イムティの弾けるような情愛の思い出の再訪や再考察は続いた。

半分口から出まかせだったのかも知れないけど、とにかくイムティはよく喋るタイプだった。私は話して面白いネタなんかほとんど持ってないし、特に男についての話となるとお手上げだから、それで都合が良かった。作り話も上手じゃないしね。だけど私も、良いとこで相槌を打つとか、聞いてほしそうなことを聞くとかはできたから、イムティは何時間でも上機嫌で話し続けた。イムティが熱心だったのは専ら私の大好物の話題、なにかって言うと、イムティの歴代彼氏の前戯の仕方。逆にイムティが彼氏にナニしてあげたか、の話だったら退屈したろうな。あの時はラッキーだった。イムティの小ぶりな胸の大ぶりな乳輪をどんな風に触ったとか、背中をどんな風に撫でたとか。どんな風にそのお腹に指を滑らせ、臍ピアスの青い瞬きを通り過ぎ、濡れた下生えまで撫で上げたとか。妄想の中で私はイムティの身体を思い描いて、男の手を自分の手に置き換えて、アメリカ少年になりきってみるんだ。白くて、がっしりして、飢えたオスの身体に。こんな大したことないような言い方をしちゃうけど、実際私を絶望から救ってくれたのは、こういう大したことない出会いだった。そんなのすら全部失くしてみるまで、どんなに大事だかは分からないものだよね。孤独が何カ月も続くと、まるで時間の糸が延びてほつれて、ボロボロに千切れていくような感じがする。一度はそういう苦痛の時が一年間も続いた。

そんな孤独極まる時期に、叔母が——あのチークと片えくぼの人だけど、イードの度にミザンママ叔父さんを連れてチッタゴンから家に来た。ある時、家族の親愛的な意味合いで、叔母が私の腰に手を置いてきたことがあって、そしたら私、なんか泣けてきちゃって。それまでの「触れ合いがない」っていう無の概念が、この瞬間どうやってか有として顕現しちゃったっていうか。触れた手のわずかな圧力、身体の輪郭、それをかたどる肌が、私が、どうしようもなく飢えてるんだって、自覚できてしまって。

君に会った頃の自分がそんな不安定な状態じゃなくて良かったたって思う。その頃はNGOの仕事を辞めたばかり。NGOなんてのはダッカじゃ有り余るほどありふれたモノだから、私は新しいキャリアである銀行職――権力ばかり不釣り合いに大きいクセに、本当にしがない職業だよね――にも比較的満足しているくらいだった。結構良い感じだったたよ。日々ルーティンの雑務、事務処理、あって無いような官僚制度。脳のスイッチは切ったまま働ける。実際ずっとオフにしていたお陰で、性欲の方もそれまでみたいに持てあまさずに済んだ。それまで抱えてきたドデカい性欲爆弾が、あっという間に愉快なエロエロフィルター付きのサングラスレベルにまでグレードダウンしたんだ。

だというのに、そこに現れたのが君。軸足に体重と、ついでに美味しそうな太ももをムッチリと寄せかけて、足を開いて立っていた。経理部長は助兵衛な目つきを隠そうともせず間近で君を堪能しながら、自分が誰より詳しいと思い込んでる事柄(つまり森羅万象の全て)についてベラベラと説教を垂れてる。聞き飽きてるんだろうなと私は分かったけど、君は上手く隠してお行儀良くしてた。模範的なインターン生だ。にしても、その崩した巻き方のドゥパッターや、君の気だるげな姿勢で分かっても良いだろうに、なんで私は君が大胆なタイプの子だと予測しておかなかったんだろ。脳みそオフで、日常的に見るようなものには反応しないようになってたからかな。でも逆に日常的に見ないようなものには全部、サプライズ通知がオンになってたらしい。だから君のデスクを横切った時、君が読めない顔で、横目でこっちを見てウィンクしたのには、びっくりして一瞬思考が止まった。その後しばらく、空目だったかなって思い直したくらい。

君は私が気付くまで粘ってくれてた。あのさ、それってすごい才能だと思う。君って本当に我慢強い。あと楽観的なとこもすごい。良い時も悪い時も平等に、運命だから仕方ないって具合に全部受け止められるとこも。なんでそんなに平気なの？　人の心がないのかもと思うことがあるよ。誰も君を傷付けられないし、それどころか触れることも叶わないって感じ。無礼を働こうもんなら、寧ろ相手が木端微塵に壊れちゃいそう。君が超屈強なのか、超冷徹なのか、正直まだ決めかねてる。笑うなよ、マジなんだってば。私は君の天秤の真ん中に立って、もうどうしようもないくらい首ったけだった。

ああだけど、もう少し遡って話す必要があるな。記録に残ってるような、どうでも良い表面上の話ね。そう、前職のNGOの上司——ここから行こう——その女性は、心も体も大きくて豊かな人だった。すごく魅力的な笑顔の持ち主でね、飢えた男の一人や二人、銀行の一つや二つ、簡単に落とせそうな感じ。私はよくその上司と狭いオフィスで顔つき合わせて、山と積まれたファイルに囲まれながら戦略会議なんかしたものだった。振り返ると、なんて無意味な言葉だろって思うよ。守りたいはずの労働者の実態から、あまりにもかけ離れてる。

オフィスの窓の開かれた先には年季入りのマンゴーの木があるんだけど、その貧相な木陰じゃ、熱風が波のように押し寄せてくるのに対してなんの役にも立ちはしない。午後になると、この上司の三人の子供たちがボロボロのセダンから転がり出てきて母親に飛び付くんだ。彼女は唇いっぱいに愛情をにじませてた。曰く「人生は愛じゃなく、正義のためにある」

「愛情じゃどうにもならないの」こう言う上司の姿が今でも目に浮かぶ。あの口紅で少しねばついた唇も、黒々と魅惑的に輝く瞳も、その下にできた隈も。「愛は救ってはくれないし、世界を変えてもくれない」

当時はそれで全く構わないと思ってた。愛なんかいらなかったし、無くても生きていける。実際誰もいなかったからね。君に会ったお陰で変な希望を思い出しちゃった。「正義も力も人権も、元をたどれば全部愛じゃないか?」なんて。「人生はキス一つで、全部が報われるんじゃないか」って。「そう思う私が間違ってんのかよ」って。

結局私は間違ってなかった。君と初めて触れ合った時すぐ分かった。銀行のトイレでのことだ。あの陶器みたいにきらきらした部屋にいると、世界は全部真新しくて、自分のためだけに用意されたみたいに思えてくる。君は自分がなにしてるか、よく分かってなさそうだった。そうだよね。君の愚直なまでの誠実さには引力がある。触れ合うのは「ただどうしようもないから」なんかじゃない。ぴたりと嵌るからだ。ぴたり。その白い指を私のサルワールに滑り込ませる。瞳には、血の熱情がダイヤモンドみたいに輝いてる。どれも私にぴったりお似合い。なんて、こんな幸福、できすぎてる。

やってる最中にこんなこと考えてたわけじゃないけどね。うん、私だって君と同じように没頭してた。全身で愛を誓うのに必死だった。別に、そういう仲の女と、ん、職場のトイレでヤるのは初めてじゃないだろって？　うん、あ、そう、そこ。嗚呼。まだ入ってもないのに、触れてもないのに、入ろうとする君の指が、ツンと痛い。もっとキスしてたい、ぴたりとくっついて、見つめ合っていたい。君の顔、柔らかい布に包まれた君の身体、ラジャ・ラニのサンダル履いてギラギラの君の足先、一日中でも眺めていられるのに。

アメリカの『爆発！デューク』ってテレビ番組をオススメしてくれたのはイムティだった。イムティは二人のマッチョな男主人公が大好き。私はヒロインのデイジーが可愛くて好きだった。いつも丸出しの脚線美も、ぺったんこでわけ分かんないくらい縦に長いお腹も、胸の下で結んだギンガムのピタTも。おなじみのカーチェイスは「あの娘をゲットだ」というセリフで始まる。そしてデイジーは救われ、安心安全の後部座席に放られ、皆で砂埃の荒野へと走り去るんだ。

トイレの真っ白な空間で、そのことを思い出していた。女の子をゲットするって言うのが、君がやってることを一番上手く表現してる気がしたんだ。いや、私だってゲットしたかったんだけどね…誤解しないでよ。でも私は、だってほら、いっぱいいっぱいだったもんだから。

ダッカにもプライバシーってものはある。らしい。私がアパートに一人暮らしだったからに過ぎないかも。バナニにそびえる退屈な建物に挟まれた、特徴も魅力もない高層ビル。ジャスミン・ガーデン・マンション。名前負けも甚だしい。私はここに一人暮らし。親はシャンティナガルに残って欲しがってたけど。ダッカはどんどん忙しい街になっていくものだから、仕事場の近くに住まいが欲しくてね。それにどの過保護な母だろうと、義母だろうと、ダッカの渋滞を引き合いに出されちゃ誰も反論できないだろ。運良く三十代まで結婚せずにこれたから、義理の家族の圧力なんかとはどの道無縁だったしね。

君もまた面白いくらい隔絶されたライフスタイルの持ち主だ。それもこのプライバシーに一役買った。ダッカで独身ってのは、つまり親と同居してるか、もし家庭が裕福なら同じ集合住宅に住んでる、とかが一般的。そんな中でも年を食った独身女性、つまり二十七歳以上の〝高齢者〟は――そんなこと言ったら私なんか化石だな――数にしてはほんの一握りだけど、私も君もたまたまその一部だった。君は一般の例にもれず両親の家には住んでいた。ただし、両親は二人とも外交官でそれぞれ別の国に住んでいて、その一人娘だった君はおばあちゃんに育てられ、大人になったら一人で、自由意思で行動していた。

君の実家には使用人が常にいるけど、世話する対象が君一人なもんだから、人員は大幅に削減されていた。一方私のアパートには使用人もコックも運転手もなし。だから夜は通常私のところで過ごす。君が夜、あの屋敷にいなくてもほぼ誰も気付かない。ううん、気付いてて特になにも言ってこないだけかも。

この部屋で、私は「恐れずに愛する」ことの意味を学んだんだ。アパートに一歩足を踏み入れたその瞬間、人生の一分一秒全てを支配してた不安が、まるで玄関で靴と一緒になって脱げたみたいだった。次に外に出るまで用のない外出用のショールみたいに、玄関にぶら下がって、そいつは肩をすくめてた。いや、ある意味私自身がこのショールだったのかも。恐怖を身にまとうことで自分を保とうとしていたのかも。不安を脱いだら自分を見失ってしまう、そんな風に感じていた。言葉すらままならなくて、情愛と情欲の間に引いた境目も、行く末を迷って揺れる歩みも、どう言い表して良いのか分からない。

私は、今まで本当に私だったんだろうか。本当に「私らしい」のは誰だろう。うそぶいて、なりすまして、思ってもないようなことをニコニコ喋る、あの虚像の私は、口に出さない本当の想いよりも「私らしい」んだろうか。なりすました自分に、いつか成り代わって行くものなんだろうか。それとも本当の私とは、不変の魂のことを指すんだろうか。せっかちな君は、こういうかったるい質問が嫌い。だけどそれでも、辛抱強く君の答えを言い聞かせてくれた。私が理解するって確信してたみたい。一個一個馬鹿丁寧に指し示して教えてやろうっていう、君の覚悟まで見て取れた。その説明の最初の一文はまるで想像だにしないものだった。私たち、二人して信じられないような胆力でもって、あの証明を書き終えたね。

‡

変な体勢だ。高くあげた腕に布が絡まり、顔が隠れてしまってる。ここで止めたのは、そのブラを見て驚いたから。フルカップで大きなおっぱいを守ってる…のはいつものことなんだけど、フロントホックってのが新しい。私は勢い付いて起き上がり、ホックをパチンと開けた。

期待通り、ブラのカップが別れて落ち、その乳首をギリギリ覆うように垂れ下がった。思わず溜息を吐きながら、ブラジャーを横に押しのけてその裸の胸に手を置く。最初は軽く、段々力を込めて、胸を左右に押し、揺れるのを見て愉しむ。乳首をつまんでその揺れを止めてやると、君が呻いた。

こういう展開で運ぶのは珍しい。いつもは君がリードしてくれるもんね。今日は逆。空いた方の手でその大陰唇を弄る。ぬめるひだひだを引っ張って、両側合わせてねじるように弄ぶ。指を一本中に這わせて小陰唇を割り開いて、指先を軽くクリに当ててやる。私個人はもう少し激しいのが好き。多分長年孤独で溜まってて、軽いのじゃ足りないんだと思う。一方の君は恐ろしく敏感。指先を振り子みたいに優しく細かく動かすのが正解。ちゃんとわかってる。もう一本、指を中に滑り込ませたり、もうひとつ後ろの入り口を撫でたりしてやる。

長く続けすぎちゃダメ。リズムを止めちゃダメ。

その身体が私の指に合わせて小刻みに震え始め、君の指が悶えてその髪を手繰って握り込んだ。酸っぱいような、包み込むような君の匂いがする。ほしい。そのにおいも、味も。でも先にイかせてあげたいの。

一度手を離し、君がなにか抗議の声をあげる前に、ソファに押し倒して四つん這いにする。カミーズでまだ顔が隠れてる。乳房はいやらしく垂れ下がって美味しそうだ。痕を付けるついでにまた揺らしてみる。果実の先端に、五ミリくらいの、硬くなった黒い乳首がある。片手で両方の乳首をつかむ。空いた手は脚の後ろから、下の唇に這わせた。柔らかく湿ったその溝に人差し指を置き、そちらは動かさずに乳首を引っ張る。応える君の背中がしなり、人差し指にクリを触ってもらおうと腰がくねる。私は乳首を引っ張りながら、クリから逃げるように指を遠ざける。また近付ける。震える乳首を優しく撫でる。また離れる。揺らして、引っ張ってが、三回、いや、三十回？続いた。夢にも思わぬ形で、時間は解けて消えていく。イムティと暗闇の中で話した時のように。サダー・ガットのボートの上で、輝く水が滑るように過ぎ去った時のように。一瞬の出来事だった。ただ、そうした他の一瞬と違って、今は終わりもないし、迫りくる夕日も、ロマンチックなＢＧＭもない。今は、君の身体をここに留め置いて、ねだる情欲があるばかり。触って、と君は泣くように言った。

「触って、触ったらもう、イくから」

「わかってるよ」

きゅっと締まって、また伸びてくのを感じていた。見つけたばかりの自分自身。他の人間の指針やら意図やら、そんなものから、やっと独立した私。

「わかってる」

リサルストリートの青年たちへ

イアン・ロサレス・カソコ

R、M、Lに捧ぐ。

「絶対に、心をだらけさせないこと」

ローゼンクランズ・ボールドウィン著『愛するパリ　僕の頭痛のタネ』★より

経験則で言うと、落ちる条件は四つある。その一、やせ型の十九歳の男子で、大きめのTシャツと、ダボダボのパンツが似合うこと。その二、頬骨が高いとか、唇が薄いとか、悲しげな目など、特徴のある鋭い顔つきをしていること。その三、十代のよく言うひと夏の恋じゃなく、性欲と好奇心の充足を求めるギラギラした鋭い雰囲気があること。その四、タンジャイ出身か、もっと言えば、タンジャイのとあるストリートの出身であること。

この世に偶然などないと宣ったのは誰だったか。覚えてないけど、賢い男なのは確かだ。僕の経験に当てはめると、すなわち失恋の方程式を示唆する含蓄だ。この式には相手の男の住所まで入ってる。

「もしかして、リサルストリートに住んでいないかい」この質問をすると、いつも恐れていた答えが返ってきて期待と失望とがない交ぜの気分になる。僕はパブロフの犬だ。あの絶妙な失恋の煌めきを、勝手に見出して悦に入る。

お相手は、僕が超能力でも使ったかのように目を見開くと「うん、リサルの北側だよ、大当たり。え、来たことあんの?」と答えた。この解答には色々なバリエーションがあり、どの選択肢もはっきりと思い出せる。脳内の地図にまたピンが増える。ある人は、セレスバスのバス停の近くに住んでると言った。ある人は、レジデンシアホテルの横のアパートに、叔母さんと暮らしていると言った。

またある人は、市民ホールの近くに代々受け継いだ実家があって、定期的に帰るのだと言っていたっけ。

もちろん僕は頷く。行ったことあんのって？　「リサルはよく知ってるよ」

僕という蛾は、その街の灯の揺らめきには特別弱いらしいのだ。別に下心がある訳じゃない。だけど僕は、偶然も信じていないから。

‡

タンジャイという小さな街は、僕が住むドゥマゲテから車で一時間のところにある。大都会の華やかさはないが、活気のある良い街だ。特に詳しい訳じゃないが、砂糖の生産が盛んな地域らしく集団としての意識が高いのは確かである。すなわち、例えば、交通量は極めて少ないにも関わらず、州内で唯一信号機付きの交差点がある。一九九三年に設置された信号機はもうとうに機能してはいないが、未だ修理もされずにリアルストリートにぶら下がっている。そうしていれば何か更なる栄光が来るに違いないという、希望というか、頑固さがうかがえるトリビアだ(僕はタンジャイの男の子を見るたびにこの話を思い出して、思わず納得してしまう)。

ネグロス・オリエンタル北部の街へ向かうバスに乗る人なら、タンジャイをよく通るだろう。この州の高速道路は市場地区を細かく網羅しており、新旧さまざまの大型店を通るから、国内最大級とはいかないまでも、主要な商業動脈のひとつとして機能している。道路の両側に立ち並ぶ店舗の数は、しかし段々と先細りになり、サトウキビ畑やココナッツのプランテーションの広大な緑に変わっていく。だが実を言えば、もっと大きな農園（アシエンダ）の類は全てすぐ隣町のベイスにあるのだ。ここにはスペイン系の血筋の一族が豪邸に住んで、タンジャイ出身者を見下しているらしく、二つの街の間にはものすごいライバル意識があるらしい。

僕はベイスの男の子に惚れたことはないけど。

リサルストリートはタンジャイでも最古の通りで、それに間違いなく一番裕福な通りでもある。高速道路からもうひとつ、マビーニストリートを隔てたところにあり、東は養魚場、西はタンジャイ川のほとりまで長く長く続いている。この間を、レガスピ、ホセロメロ、イザガニ、ボニフェイシオ、ザモラ、サントニーニョの順に小さなストリートが交差している。この通りには、市役所、カトリック教会、古びた高校の校舎、週に一度社交ダンス会場になる公園と、あの可愛いホテル、それにタンジャイの旧家であるティオンソン家、カランパン家、ロメロス家、リンバガス家、パストラノ家、ミラフロア家、コーネリオ家、バロット家が点在する。全てタンジャイの、魂の軌跡だ。

少し歴史を紐解けば、スペイン人がこのネグロス島——植民地化前はブグラス島と言ったが——

に来て、最初に定住を始めたのがこの地、タンジャイであることが分かる。タノン海峡の沖合に面したこの土地に、最初のカトリック教会が建てられたこともあり、以来タンジャイは骨の髄までカトリックだ。宗教的儀式や慣習を重視するし、禁欲も大切だから欲そのものへの罪悪感も生まれる。

だがこうしたカトリック的罪悪感は、僕に言わせれば媚薬だ。少しくらい離れていても、長いこと燻っていた炎がぱちぱちと爆ぜる煙の匂いは漂ってくる。

‡

リサルストリート・七八六番地のトバイアスと、初めてキスをしたときの匂いだ。

ホテルの三階のこの部屋からはドゥマゲテの繁華街中心部を見渡すことが出来る。ガラス越しに差し込む楽しげな夜の光が僕らを包んだ。こうした夜景の変化を楽しむために、カーテンを一部閉めないでおいたのだ。広く薄暗いスイートルームの一角にあるフロアランプが、室内唯一の明かりとしてぼんやりと光っていた。三度目のノックの後、僕はその人を迎え入れた。

「なんでホテルに泊まってんの?」僕がドアを開けるなり、トバイアスは尋ねた。おずおずと足を踏み入れた彼は背が低く、見た目はそこまで僕のタイプではなかった。遊び心とウィットのある子だったので、興味をそそられたという訳だ。

「時折泊まることにしてるんだ」僕は言った。「退屈しのぎのときもあるし、単に休息のためってときもある。書き物の仕事があるときは、ホテルの部屋の方が集中出来るから泊まることもあるよ。非日常感というかね、それに、ルームサービスもあるし」

「五ブロックしか離れてないじゃん。自分ちで仕事が出来ないの？」

「独身の小部屋じゃね、眠くなるだけってこともあるんだ」

「それじゃ、働くためにホテルに泊まるの？」

「そうとも言うかも知れないね」

「結構何回もそんなことしてんの？」

僕は苦笑いを抑えきれなかった。「質問が多いって聞いてたけど、本当に多いな」

「でしょ。よく言われるから」

「まあなんでも良いよ。来てくれたんだからね」

「アンタに来いって言われたから」

「来てくれた」

「うん、来たよ」

そのとき、キスしようと決めた。

トバイアスの頬を両手で包み込み、近付いてその唇に触れる。ピザの味がした。もっと深く抱きしめて、舌を割り入れようとすると、トバイアスは遠慮がちに、そっと僕を押しのけた。

「何してんの」トバイアスは訊いた。

僕は更に近付いた。

「君にキスしてる。トバイアス……」

リサルストリート出身は、この子で六人目だ。

その夜、ホテルの部屋で、青いドットのボクサーまで脱がせながら、暗闇でトバイアスが震えているのが僕には見えた。

「震えてるの？」僕は訊いた。

「クーラー、効きすぎじゃん」彼は言った。

「いや、そこまで寒くないと思うよ」

「ねえ、いいからシてよ」

薄闇の中、トバイアスの陰毛の上から臍にかけて、粗い毛の跡まで見えた。既に硬くなっていた彼自身を、僕は身を乗り出して口の中に迎え入れた。またトバイアスの全身が電撃を食らったように震えているのを手の内に感じた。初めてかい、なんて訊きたくなかった。僕の頭に置かれた手が、喉の奥の奥まで、ギリギリ僕がえずかないくらいまで、彼自身を押し込もうとしている。「まだイきたくない」という声が聞こえた。

「まだこないで」と僕は答えた。

最初の出会いを思い出していた。出会いと呼んで良いものか、少し迷うけど。僕の友人とトバイアスが付き合っていたのだが——トバイアス曰く「図書館でオシャベリするだけの仲を、付き合ってるとか言う?」——その友人が兎角彼に夢中で、仲間内で彼のフェイスブックを見てみろとうるさかった。「トバイアス・ブラカモンテって検索してみ。ホントにいい子だから」友人は大袈裟に言った。「地図が好きなんだって」

「地図?」

「そう! 古地図。変わってるよ。古地図集めが趣味なんだって」

僕も地図が好きだ。特に古代の地図。昔の人々が、自分の住んでいる世界を分かりたくて、インスピレーションで制作した地図作品……すなわち、ピール・ライス・ハリータ、アル・イドリシ・マッパ・ムンディ、ビータス・マッパ・ムンディ、カンティーノ・プラニスフィア、ピール・ライス・ハリータ、ヘレフォード・マッパ・ムンディ、マルティン・ヴァルトゼーミュラー地図、カンニード地図など。彼らにとっては信仰心が情報の源であり、見たこともない世界を描くためのビジョンもそこから来たものだ。例えば、アレクサンドリアのアガトデーモンが描いたとされるプトレマイオスの世界地図は、紀元一五〇年頃に書かれたプトレマイオスの著書『地理学』の記述に則り、二世紀のヘレニズム文化が世界をどのように見ていたかを示している。ヨーロッパやアフリカ、アジアの一部分は詳細に描かれているものの、その他の地域は地図としては全くの空白。代わりに、不可思議な生物や、奇妙な怪物のイラストで埋められている。地図を描くこととは、未知を支配しようとすることだと僕は常に思っていた。獲得すべき未知の土地の謎を、地図を描くことで解消する。知ることは、打ち負かすことだ。

そこで僕はトバイアスのフェイスブックを見てみることにした。丸みの残るティーンエージャーの輪郭に、年上ぶりたい無精ひげを生やしている。数日後、驚いたことに彼から友達申請が来た。更に、僕が投稿したポヴェダノ地図——スペイン植民地以前のブグラス島を、愛情をもって詳細に描いたホセ・E・マルコの(しかし嘘塗れの)傑作だ——にコメントまでくれた。「この地図マジで好き」

返信に「僕も大好きな地図だよ！　偽物と知ったときはショックだった」と送ると、「わかる」と彼は返した。「でも嘘地図って、人類が人生の境界線だと信じてるものをよく書き表してるなって思うことない？　想像上の場所を書くってそういうことなんじゃない？　だから嘘地図はいいんだと思います」

こんな喋り方する奴がいたものかと思った。少なくとも僕が知ってる十九歳の男の子はこうではない。僕は、落ちる自分を感じ始めていた。

トバイアスの無慈悲なまでの若々しさが、僕を魅了したものの正体なんだと思う。分かってる、僕は三十代特有の老いの恐怖に苛まれ始めた頃だった。頭は信じがたいほど若いのに、身体が段々とそれを裏切り始め、もう限界が近いのが漠然と怖くて嫌になる。老いた男は老いに屈した幸福を得ている。若い男は無知の祝福を受けていて、老いは己には縁遠いものだと思い込んでいる。三十代というこの狭間においては……残念極まりないが、常に恐怖と否定の中で生きることになる。フェイスブックでのチャットや、携帯メールでのやり取りを何週間も繰り返した末、僕らはやっと出会った。友人は別の男に乗り換え、僕とトバイアスは友達になった。ほとんどネット上でのやり取りだったものが、今この形で最高潮に達している。街の中心で、ホテルの一室で、僕の下で。彼が、触れられて、震えている。

暗闇の中、トバイアスの小さな肢体に絡みつき、あらゆる関節やしなやかな皮膚の曲線を人差し指でなぞっていった。先ず目の下のくぼみを、鼻筋の高みを、そして唇周りの敏感な皮膚を。

僕は自分の舌で指を湿らせると、トバイアスの唇に戻し、ゆっくりと開かせた。いじらしい舌がそっと吸いついてくる。そこから、首筋、鎖骨、期待で硬くなった乳首へとゆっくり下った。両手でそっと脇腹に触れてやると、くすぐったい官能の痛みにトバイアスが身をよじるのが分かった。彼自身を敢えて行き過ぎ、太ももに触れて内側を軽く舐めた。脚はきちんと手入れしないと。それから、きっと長い時間をかけて僕はその足の指を全て吸い、足の裏の弱い部分を舐めてやった。その身体に地図を描く指と舌に、トバイアスの喘ぎ声がバックミュージックのように響いた。すっかり堪能し尽くしたと思えた頃、僕はやっと彼の猛る男根に戻ってきてやり、繊細に、強引に、飲み込んだ。

「あ、イく!」

トバイアスは叫んで、確かにイった。

ようやく呼吸が落ち着いてきたと思った途端、彼が急いで何かし始めて僕は驚いた。すなわち、立ち上がって服を探し、すぐに身に着け始めたのだ。

「何してる……どこ行くの」

「俺もう行かなきゃ」

「行くって……もう夜遅いよ」

「今何が起きたのか全然分かんないけど」――そういう彼の顔に一瞬罪悪感が滲んだ――「今あの、カフェに行かなきゃ、いとこと会う約束で。今思い出したから」

僕が何も返せないでいるうちに、彼は出て行った。

トバイアスとセックスしたのはそれが最後じゃない。達した後、慌ててドアの外へ出ていかれたのも、それが最後じゃない。出ていく言い訳に、いとこが都合良く出現したのもだ。だが、この頃になって僕は気付いた。多分これはカトリック的な罪悪感のせいなのだ。背徳的なセックスには極上の官能が溢れている。僕は多分、背徳を煽るのも上手になっていた。情事が終わる頃には不満が募り、ときには怒りも後を引くのだと分かっていたのに。トバイアスはこの後三年間に渡り、僕の生活の内部に、ベッドの内部に、時折訪れては出て行った。僕らは一体どの辺にいるのか、頭の中に靄がかかったようにはっきりしない。トバイアスの地図は埋まらない。僕には埋められない。それが嫌で仕方なかった。

そのとき、リサルストリートの男とはもう関わらないと決めた。

「君らって皆そう」とトバイアスに言ったのは、かなり後のことだったけど。この頃僕らは一週間に一回のペースで奇妙な逢瀬を続けていた……あれは何ラウンド目の後だったっけ。

「は？　何の話」

「タンジャイにはそういう儀式みたいなのがあるんだろうな。男子は何歳以上になったら、糞野郎養成ブートキャンプに行く、とか」

トバイアスは黙っていた。

「違う？　君が糞野郎なだけか」僕は怒りと不満がない交ぜになったものを彼にぶつけた。

彼は酷く冷静にただ僕を見ていた。

「イアン。俺はアンタが思うようにはアンタを愛せないよ」

「君にはうんざりだよ、トバイアス」

「じゃ、俺のせいにしていいよ」

そう言うからそうした。終わった後、もう二度と会わないと心に決めた。人生のコンパスが向きを変えると、全く別の未知が開け、全く別の地域が描かれるのを待っている。だがここへ至るまでの道のりは、見慣れた傷心のハイウェイだった。偶然も不慮の事故もない。手相の線上をぐるぐると進むように、あるのは運命だけ。

‡

リサルストリート・三四一番地のサミュエルが最初だった。

いや、正確じゃないな。マビーニストリートの二四番が本来の住所だが、これが三四一番地のロテア邸の真後ろに位置していたのだ。両ストリートの角にある、掘っ立て小屋のような建物だ。まだ洗濯機が一般家庭に普及する前のこと、サミュエルの母親はこの薄暗い家で、近所の人々の洗濯物を預かって生計を立てていた。すなわち、洗濯屋の息子サミュエル、略してサム。タンジャイではこうした職業は軽蔑の対象だった。階級主義の不公平さを受け入れないような、賢い少年にはことさら苦痛だっただろう。だが、こうした不公平な運命の、小さく鋭い気まぐれこそが人生を左右する。手の届かないものへの羨望と恨みが、サムの内側から怒りとなって漏れ出ていた。

サミュエル・ゴーダン。

僕が二十五歳のとき、僕の中に最後に残っていた頑迷な純朴さを奪った人だ（これには感謝している。二十代半ばの無垢というのは、ちょっとした脱皮を要するものだから）。サムのことはよく覚えている。チョコレートのように滑らかで甘やかな男だ。初めて会ったときには、とても十九歳とは思えないような、渋くて慎重で、礼節を持った話し方をしていた。今思い返せば、貧困に導かれるべき人物像とは異なる自分を誇示したかったのだろう。金持ちっぽい話し方だったし、英語も非常に堪能だった。相手を戸惑わせるような堂々とした振る舞いが魅力的だったが、サムはこれを保っていることは出来なかった。漂う怒りと暗い雰囲気が常に勝ってしまう。そのどちらにしても、兎角十九歳の若者とは思えないような気迫だった。

だが忘れちゃいけない。毎日酒の中に数滴毒を垂らすように、サムは器用に何年も嘘を吐き続けて生きてきた。彼のたった一度の失敗のとき、丁度やり合っていた相手が悪かったようで気の毒だ。僕のことだけど。まさか僕がサムの作り話(「実母が二百ペソで洗濯屋に赤子を売り渡した、つまり自分は養子なのだ」など)を本当かどうか調べに、わざわざタンジャイまでやってくるとは思わなかったようだ。それに、リンダのことにせよ、僕と彼女がお互いに掴みかかって自分を奪い合う様子は想像出来ても、まさか意気投合して仲良しになることまでは予想しなかったらしい。サミュエルは、リンダと付き合っていながら僕と寝ていたのだ。もちろんサムとの仲は僕が先。リンダよりも三週間は前だった。そうと知って彼女は泣き、僕は慰め、その三十分後には大学前のカフェでコーヒーを飲みながら、サムの自慢くらべに興じていた。「サムはすっごい巨根で、しかもテクニシャンなんだ」僕らは大爆笑。だが、そんなことはどうでも良い。

僕の人生におけるサミュエルの話というのは、話そうとすればするほど真実味がなくて困る。起きた事実だけを羅列して書き出せば多少はマシになるかも知れないが、この話の意味は感情的な部分を思い出すことにあるのだ。ドゥマゲテのクラブで、サムと初めて話したことをぼんやりと覚えている(ホワイト・ノットというディスコが当時人気だった)。この辺りで、ひとりでいる彼を見るのは初めてではなかった。背が高くがっしりしていて、悠々と歩くそのマットな肌は、人混みでも容易に彼と分かるものだ。磁力のある人、と言ったら良いかな。そのハッとするような悲しい目つきには、他人を欺いたり誤魔化したりする素質がある。この両の瞳の黒々とした泉に溺れ、彼の見せる甘美なメランコリーを味わっている間、サムにはこちらの弱みや密かな願望が筒抜けになっているという寸法だ。あの夜、サムは僕の中に何を見ただろう。欲しいものを手にするためなら何でもする男だった。慎重さなんてものは彼の辞書にはない。僕がその夜、すぐに学んだことだ。

いっそ天才的なほどとんでもない口八丁で、彼は僕の人生に入り込んでは心を乱した。あのクラブで出会った後――僕はどうやら少し酔っていて、サムが全額奨学金で大学に通っているのを大分称賛していたらしいのだが――次の日には彼が家の玄関の前にいた。ドゥマゲテ市内でも大学に近いトゥポッドという住宅街にある小さなアパートだ。この日は土曜日で、僕は部屋の掃除に勤しんでいた。ノックもなしに名前を呼ぶ声がしたので、何事かと箒を持ったまま玄関に向かった。するとサムがいるので酷く驚いた。

「サムだよね？　ここに何の用かな」僕は言った。「というか、どうやってここを調べたの」

「本を借りに来た」

え？

「本を借りに来たの？」僕はオウムのように繰り返した。無論彼を家にあげた。サムは本がぎっしりの棚で埋め尽くされた家の壁を見ていた。僕のリビングはちょっとした図書館だ。なんだってサムがそれを知っているのかは知らないけど。

「ハリーポッターの本、持ってる？」

「え？　ああ、あるよ」僕は答えて、『著者名：R』の列からさっと取り出した。

「どうも」サムは（非常に端的に）そう言って僕のソファに腰を下ろすと、興味なさげにぱらぱらとページをめくり始めた。その様子に興味がわいた。「何してた？」彼が訊いた。

僕はソファの反対側に座った。「掃除をしていたけど……」

「それから？」

一拍おいて「テレビも観ていたけど……」と僕は続けた。

「テレビ？　どこ？」

「寝室にあるんだ。あっちだよ」

「一緒に観ていい？」

「寝室でかい」

「ダメ？」

「え？　あー、いや。構わないよ」

僕が寝室と呼んでいる貧相なアルコーブに、サムはついてきた。椅子がないから、僕らは二人でベッドに座った。彼は左側。僕は右側でこの訳の分からない状況について考えていた。

ちょっと視線を送ってみもしたが、サムの方は奇妙なほど真っ直ぐにテレビを見ている。僕の傍らに横たわった彼は、シャツをたくし上げてその発達途上のシックスパックを晒し始めていた。ゆったりしたバスパンが腰まで下がって、ブリーフのゴムが露になっている。目に見えない炎が僕のすぐ横で燃えているのが分かった。僕は何もしなかった。アメリカのドラマ『ドーソンズ・クリーク』の再放送を観ていたが、二人ともその内容なんか頭に入ってはいなかったのだろうと思う。ドラマが終わると、僕は「もう行かないと」と呟いた。「遅くなるといけない」「友人とディナーの予定がある」と。サムは立ち上がると、「了解。本をどうも」と言って去っていった。

友人たちとディナーを食べながら、僕はさっきの出来事を話さずにはいられなかった。「やりたかったんだよ」とテッドが言った。「本を借りて、テレビを見て、ただ一緒にいたかっただけでしょ、文字通り」とクリスティンが言った。

「だけど誰がそんなことするかな。見ず知らずの人間の家で、テレビを見たいだなんて、普通思うかい」僕は言った。

「イアンは変な男にばっかり捕まるからなあ」

「僕自身そう思うよ」

「本当にね」

「けど、何も起こらなくて良かったよ。ナニか起きてたらもっと突飛な話になってた」

「うん、下手なAVでももっとマシなシナリオしてる」

僕らは笑った。その通りだと思った。

翌日、僕は母の家で、日曜恒例の二人の昼食会だった。食べ終わった直後、僕に電話がかかってきたので「もしもし、どちら様」と受話器に尋ねた。

「サミュエルだよ」

「サム？」

「そうだよ」

「僕の実家の電話番号なんてどうやったら分かる……」

「今夜、君の家に泊めてくれる？」

「え？」

「熱が出たんだ。ひとりになりたくない。痙攣する病気があって」

「医者に診てもらえないのかい」

「医者は嫌いだから」

こういうのには普通、どう答えるんだろう。信じ難いことに、僕はサムのシックスパックと、あの厚い唇、マットな肌を思い浮かべているうちに「午後五時に玄関にいてくれるかな。少し遅くなるかも知れないから」と言ってしまっていた。

「分かった。五時ね。じゃあ」そして電話は切れた。五時十五分に玄関に現れたサムはその後、僕のベッドでシャツを脱いでくつろいでいた。僕は寝室のドアの前で、またもこの現象の全てに考えを巡らせていた。

「まだ熱はあるのかい」

「少し」

「風邪薬、いる？　バイオジェニックがあるけど」

「どうも。メディコル飲んだから平気」

「なるほど」

「そこ突っ立って、何してるの？」

気付いたらベッドに向かっていた。テレビを見て、夜は更けていった。テレビの光がサムの端正な顔を青く照らす。例のごとく目をやると、彼はもう眠っていた。僕はその顔を見つめた。腕に触れてみて、サムがたじろがなければ、きっとそういうことだ、と思った。たじろがなかった。

僕はまた見つめた。乳首を舐めてみて、サムが何もしなければ、きっとそういうことだと思った。ゆっくりと身を乗り出して、右の乳首をそっと舐めてみた。彼は何もしなかった。それから、股間を触ってみて、サムが何もしなければ、きっとそういうことだと思った。触れてみると驚いたことに、既に勃起していた。それに想定外の大きさだ。突然サムの手が僕の頭を掴み、顔の方へグッと引き寄せると、激しいキスが僕を襲った。まるで貪るように、僕の恐怖と興奮を掻き立てる。

彼はすぐに僕に入ってきた。どうやってそうなったのか、本当にさっぱりだが、兎角痛みは耐え難く、中で火が燃えるようだった。その衝撃的な大きさを駆使して僕に乗るから、一突き毎に怒りと悦びが同時に突き上げてくるような、凄まじいセックスだった。そういう罰でも受けているみたいだ。終わった後、僕の尻にはそれまでの激情の代わりに、突如ぽっかりと無が満ちた。

サムは僕が去るのを恐れるかのように、いつか消えてしまうものを引き留めるように、僕を強く抱きしめていた。僕らは朝までそうやって眠った。よく分からない心地良さだった。あまり深く考えたくもなかった。

それから幾多の夜をそうやって過ごした後、サムの悲劇的な人生物語が少しずつ顔を見せ始めた。赤ん坊のときに実母に捨てられた話。現在の母親（洗濯屋）が、ちんけな金欲しさのみで彼を引き取った話。僕は「可哀想に、よしよし」としか言えなかった。彼は毎晩のように僕を抱いていた。一突き毎にその人生から悪魔を追い出そうとしているみたいだった。そしてある日、サムはこう言った。「千ペソだけくれない？」

僕は出勤前だった。サムは友達のジェイソンに会うと言っていた。ジェイソンはチェーンのレストラン『ジョリビー』の支店長。後になって分かったことだが、サムの〝パパ〟だ。「何に使うの」僕は尋ねた。

「デートしたい子がいて」

僕は仰天した。「え!?」混乱してそれしか言えなかった。

「リンダ・ジョンソンって知ってる？」

「彼女は親友だよ、サム」

「僕と付き合ってるんだよね」

「でも僕と付き合ってるだろ、君」

サムは初めてこのアパートの玄関に来たときと同じような、不可解な表情で僕を見た。「リンダが僕を好きだから」彼は言った。「僕はリンダといれて幸せだし、リンダは僕といれて幸運だよ」

僕はやっと声を出した「サム、他人同士のデートのために千ペソも渡す趣味はないよ」

「じゃあいい。ジェイソンに頼むから」

彼は踵を返したが、ドアのところで振り返って「今晩はここには来ない。ジェイソンのとこに泊まる」と言い捨てた。

他にも色々頼まれたことはあった。学校のレポートを書いてくれとか、アビアンの店で見つけた靴を買ってくれとか、ナショナル・ブックストアで見つけた気になる本を買ってくれとか。友人への借金を工面したいから今すぐ金を貸してくれ、後で返すから、とか。

今になって考えると、どうして一言も抗議せずサムの言いなりになっていたのか、僕自身疑問だ。セックスだけのためでは決してなかっただろう。しかし、彼の人生物語に散りばめられた嘘を全て発見した後になっても、僕はその情熱的なキスや、あの痛烈なセックスへの耐え難い飢えに屈してしまっていた。嘘。すなわち、彼は養子じゃない。洗濯屋は本当の母親だ。だがサムは、この母を兎角嫌い尽くすというある種のスポーツに興じていた。洗濯屋とは、彼から見ても低俗で蔑むべき職業だったらしい。だがそれだけではなかった。サムは幼い頃、タンジャイの教区司祭に性的暴行を受けて育った。高校に入ると、男性教師の妾になった。それが原因で退学になった。一方の男性教師は、ゴシップ好きなタンジャイの街で、スキャンダルを避けるためひっそりと解雇されていた。サムはその後、ジェイソンや他の年上男を作っては乗り換えていた訳だが、全員がマビーニストリート二十四番地からはある程度距離のある所に住んでいた。そんなことを知って、僕はどうしたら良かっただろう。夜、ジェイソンでなく僕を訪ねてきたときには、僕はサムをかたく抱きしめていた。

十月下旬のある日、タンジャイの自宅にいた彼に電話をかけてみた。ハンバーガーを食べていたから、その音を聞かせて、ちょっと羨ましがらせてやろうと思ったのだ。「君のせいで腹減った。食べ物持ってきて」

「わざわざタンジャイまでかい」

「わざわざタンジャイまで」

僕は大笑いし、「やってみよう」と返した。

テッドとクリスティンがすぐにアパートにやってきて、僕らはビーチで昼食を食べた。サムがここにいてくれたらと、昼中考えていた。その日、後になってアパートに一旦帰ってみると、サムが既に来ていて僕のパソコンで学校の宿題をやっていた。サムは僕を抱きしめてキスしたが、友人を待たせているからと言って別れた。「あとでね」と僕は言った。

この男がリンダともデートしてるなんて。僕は罪悪感を覚えた。

「別れなよ」とクリスティンは言った。

「別れなきゃと思ってるんだけど」僕は口ごもった。「変だよね。リンダとも僕とも付き合ってるって」

「今別れなよ。今日。今夜別れな」クリスティンが言った。テッドも頷いた。「でも、はいそうですかって別れてくれるかな」

「しつこく、重たくすれば嫌になって別れるんじゃない」あまり効果的でなさそうだと、本人も分かっているような口ぶりだった。「よく言うでしょ、愛を伝えると逃げられる。代わりに、大嫌いだって言うと、激しいセックスが出来るって」

「言わない。どこで聞いたの、それ」

「『セックスアンドザシティ』」

その夜、ヤった後、僕はサムにもう二度と会いたくないと言った。

「なんで」と聞かれた。

「リンダと付き合ってるんだろう。こういうのは良くない。それに、君、僕のことを本気で愛してはいないだろ」

サムは答えなかった。

僕はもう一度聞いた。「違うかい」

サムは答えなかった
「サム、君は僕を愛してないよ」

「分かってくれ」とサムは言った。「難しいんだ。分かんないんだ。僕、君が初めての男の人で」嘘、嘘、嘘。

彼は僕を抱きしめようとした。こうなることは知れていたから、僕はさっと彼をよけ、「もうやめろよ、サム」と怒鳴った。

サムは黙っていた。「君と寝るのだって馬鹿らしい。僕の一方通行じゃないか」そのときサムはやっと僕が欲しかった言葉を囁いた。「だけど、僕がどう思ってるか、知ってるくせに」

「どう思ってるの」

「愛してる」

何故か僕は彼を信じた。嬉しかった。同時にリンダのことを考えて、罪悪感も溢れた。僕は彼に向き直り、「僕が一度もイったことがないのを知っていたかい」と聞いた。

「じゃあ僕を抱けよ。その方がいいなら、いいよ」と彼は答えた。

そう言うからそうした。僕が一突きしただけで、サムはイった。その腹に彼の白濁が飛び散って、ベッドを汚す。

無論僕は最後までイけなかった。

サムはその後家に帰り、僕は幸せな気分でベッドに寝転んだ。

翌日リンダに会ったとき、彼女が僕の目を見ようとしないことに気付いた。静かな所まで引きずって連れて行くと、リンダは突然目の前で泣き出した。「イアン」彼女はぼそぼそと呟いた。「どうして私の彼氏と寝たの？」

「誰から聞いたの」

「サムに聞いた」

「え？　どうして……」

「やっぱり、本当なんだね」

僕は答えなかった。

「どうしてそんなことするの？」

「だってリンダ、サムは僕とも付き合ってるから……」

彼女は長いこと黙って僕を見ていた。

「君に告白する前から、もう僕の彼氏だったんだよ」

リンダが僕を抱きしめた。

シリマン・アヴェニューのカフェでコーヒーを飲みながら、僕らは話し込んだ。なんでも打ち明け合った。僕らは二人とも、サミュエルと永遠に別れようと決めた。きっとこれは、サミュエルのためだった。リンダの携帯が鳴った。

「サミュエルだ」とリンダが言う。

少し話して電話を切ると、彼女はこう続けた「今から来るみたい」。

「僕がいるって知ってるのかい」

「ううん」

「どうして言わなかったの?」

「驚いたリアクションが見たいでしょ」

やっと到着したサミュエルは、カフェの角のソファに座っている僕らを見た途端「何のドッキリ?」と言った。

「ドッキリじゃないよ、サム」リンダが言った。「違うの」

「僕ら二人とも、君を愛してるからね」僕も言った。

「でも今はね、三人とも友達でいた方が良いと思うの」リンダがきっぱりと言った。

サミュエルの顔には何かが浮かんでいる。そのマットな肌の下に、紫がかった怒りの色が見てとれた。僕を見て「リンダと二人で話したい」と言う。

僕は立ち上がった。「どの道、僕は帰る時間だ」

それで終わりだったかと言えば、どうだろう。リンダは彼と別れた。一方で、僕とサミュエルはまだ時折会っていた。この後、何日にも、何カ月にもわたって、思いがけない夜に限って彼の方から玄関に現れるのだ。裏切りと不信に苛まれたこともあったのに、僕らを繋ぎとめていたものは何だったただろう。いや、そうした不幸は寧ろ哀れな僕らの燃料だったたか。サミュエルのほぼ全てを分かっていたと思うのに、あの関係は十カ月も続いた。僕がそれを選んだのだ。不安と感情的SMの渦中で、きっとセックスが良すぎて、彼の虚言癖なんか問題にはならなかった。

実のところ、僕は悲恋主義者なのかも知れない。僕は世界を、どこかで読んだ以下二つのメタファーで捉えている。その一、仏教から「人は生まれた瞬間から死に始める」。その二、物理学から「我々は全て原子で出来ており、原子の構成要素はほぼ空の空間であるため、我々は本質的に二本足の無である」。つまり僕らは、生まれた瞬間から死に始める無である。素敵なパラドックスだと思う。

人生は基本的には悲しいものだと思っている。だからこそ、幸せな瞬間を幸せに感じられるのだ。きっと僕の人生におけるサミュエルの存在とは、そういうことなのだろう。

何年も後になって、サミュエルの話を聞かせてやると、トバイアスは何故僕がそう何度も同じような男に恋するのかと尋ねた。「毎回同じじって訳じゃないよ」僕は言った。「君は違う」。嘘。トバイアスの質問に、完全に答えようとすれば時間がかかった。僕はこんな話を始めた。

「己の本来の姿を懺悔せずして、ただ自認する。これに近しい方法があるとすればね、それは『自分が愛した人の特徴を探ること』だと、僕は思ってる」

「ふうん。それで、アンタは己の何を自認したの?」

「僕は……僕を愛し返せない人を、愛する傾向にある」

「つまり、アンタがアンタ自身を愛してないってことになる?」

「愛そうとしてる」やっとのことで僕は言った。僕が口に出したうちで、最も真実らしい言葉だったように思う。

リサルストリート・七八八番地のジョセフは三番目だ。僕はかなり長い間「逃げきった男」と思っていた。後になってトバイアスが教えてくれたことには、ジョセフはブラカモンテ家の隣で育ったらしい。ただ、トバイアスとは友達になったことがないそうだ(どうしてか、僕はこの事実を重要視している)。恐らく年齢のせいだろう。トバイアスとジョセフは十歳ほど離れている。だが彼らは道をすれ違えば挨拶する程度の関係であり「親同士は良い友達だよ」とトバイアスは言った。それだけだった。時折このことを思い返しては、何故僕の心はこんなにもあのストリートに惹かれてしまうのだろうと考える。形而上学的なものが働いているのだろうか。引力さえも凌駕する、引き寄せの不文律があの地に宿っているのだろうか。

‡

これはあの三人……ジョセフ、トバイアス、サミュエルに限った話ですらない。リサルストリート四六四番のノエルが二番目、一三六番のアンドリューは五番目だ。リサルストリートが僕を捉えている。僕の心の破片が沢山、あそこに散らばって落ちている(これが感傷的すぎる例えだという事実には向き合いたくない)。アンドリューとは一カ月という短い恋だった。過ちだった。だが彼といたお陰で僕はデートの相手に「タンジャイ出身だったりするかい?」と聞くことを覚えた。「違うよ」と答えられるたび、僕は安堵の溜息を吐く。同じ通り出身の男と恋に落ち続けるという、宇宙が用意した悪い冗談から解放されたような気がして。

ジョセフ・アラゴンは初めて会ったときには、建築学専攻の大学生だった。実のところ、僕が先ず出会ったのはジョセフの彼女、すなわち、ローザ・バーバラという十八歳の素敵なお嬢さんだ。ある夏の日、ローザは僕にバイオリンの上級クラスの個人指導を頼みに来た。この二人が付き合っていたと知ったのは、だいぶ後になってのことだ。破局したときになって、ジョセフがそのボロボロの財布にしまったローザの写真を見せてくるまで想像もしていなかった。つまり僕は、知らず知らずのうちに、昼間にはローザにベートーヴェンの『クロイツェル・ソナタ』を如何に丁度良く、官能的に弾くかだとか教えたその口で、夜にはローザの彼氏をしゃぶっていたらしい。状況を理解するのにだいぶ時間がかかった。

薄明かりの下、僕のベッドに裸で王様のように横たわるジョセフは、しかし、目にも愉しい客人だった。その背の高い痩身のシルエットが、毛布と枕の溶けるような輪郭の内部に優雅に沈んで僕を誘うのだ。彼が去った後も、彼のコロンが縄張りを模るように、ベッドのいたるところからジョセフの匂いを発する。その残り香の中で眠るのが好きだった。

ジョセフが泊まったのはたった一度きりだ。その夜は延々とハリウッド女優グレン・クローズの映画を観ていた。二人ともグレンが好きだったので、僕がジョセフに『ガープの世界』(グレンは家父長的存在でありながら、偶然にもフェミニスト的な問題に携わることになるジェニー・フィールズ役を好演している)を、ジョセフが僕に『危険な関係』(ここでは非道徳的アンチ・ヒロイン、メルトイユ侯爵夫人役だ)を観せるということになっていた。再生ボタンを押しながら「本当にこの映画、大好きでさ」と彼が言った。

理由を聞いてみる。

「ちょい待ち、」ジョセフが呟いた。「このシーン、この後のグレン・クローズの独白。聞いて。僕が説明するよりよっぽど雄弁」映画は進み、ルイ十五世の宮廷で繰り広げられるミステリアスで性的で政治的な人間模様を、派手なウィッグと豪奢なフリルに乗せ、レースのように紐解いていく。

遂にそのシーンが来た。メルトイユ侯爵夫人がバルモン子爵(ジョン・マルコヴィッチが演じている)に衝撃の告白をする場面だ。「どうすればそのように己を演じ続けられるのです」とバルモン子爵。

「そうせざるを得ませんもの。違うかしら」と侯爵夫人。「私は女。女は殿方よりもずっと上手くやらなければなりません。気を付けて選んだ二言三言でさえ、悪い噂になってしまえば女の人生はおしまいですわ。もちろん、演じなくてはなりませんとも。演じながら、誰も考えも付かぬような幕引きまで考えてゆかなくては。私は上手くやったでしょう。私は生まれながらに男を支配する才――女の復讐を果たす才に秀でておりますの」

「ええ勿論です。しかし、その方法をお尋ねしているのですが」とバルモン。

メルトイユ侯爵夫人はこう答える「私は十五で社交場に出ましたが、既に心得ておりました。女はゆかしく、言われたことを黙って聞くのが仕事。ですから私はきちんと耳を傾け、しっかりと観察いたしました。けれど、私に向かって仰ることを、ではありません。そんなものには興味はございませんもの。私が聞いたのは、殿方が隠そうとなさること。頭の悪い振りをするやり方を学びました。卓の下では手の甲にフォークを突き刺しながら、お愛想笑いをするやり方も学びました。私はまやかしの名手になりましたでしょう。最早趣味快楽の域ではないの。これは知恵だわ。冷厳な道徳家に身の振りを教わり、哲学家に思考の術を教わり、小説家には引き際をわきまえることを教わりました。たどり着いた生の原則は端的で美しいものですわ。そう、全ては〝勝つか、さもなくば死ぬか〟ですの」

この一連のシーンの間、僕はジョセフの顔を盗み見た。悲しげな瞳には鉄のような冷ややかさも宿っており、僕はゾッとすると同時に興奮も覚えた。

最後に観たのは『危険な情事』だ。「何はなくとも」スタッフロールが流れて、アレックス・フォレストの悲劇がようやく過ぎ去ったとき、ジョセフは笑ってこう言った。「恋には落ちるなってこと」

週に二度、何週間もの間、ジョセフは家に来た。そして毎回、彼が家に帰ってしまう前に僕が誘った。先ずうなじにキスをして、長い情事にはじまりの火を燈す。ジョセフとは毎回刺激的で、ルーティンとかマンネリなんてものは一度も感じたことがない。肌に、厚い唇に、耳たぶに、荒れた脇の下の敏感な部分に、ただひたすらに舌を這わせる。

荒々しくなることもあった。立ったまま後ろから抱きしめ、壁に押し付け、これが最後の夜であるかのように腰を振る。穏やかなこともあった。下で横たわるジョセフと向き合うと、その痛みと悦びの短い痙攣を間近に観察することが出来た。両脚をそっと持ち上げて片方ずつ自分の肩にかけ、丁度良い高さまで腰を持ち上げると、勃起した僕がその後孔に当たる。焦れるような皮膚の擦り合いは、やがて切迫した、声にならない哀願に変わっていく。コンドームに包まれてきちんと潤滑油をした僕自身を迎え入れる彼の中は温かく、僕は呼吸に合わせてゆっくりと動いた。

以前どこかで読んだことがある。相手に自分を忘れて欲しくない、戻れない恋がしたいと思ったら、相手の頬に手をやり、こちらを向かせ、目の高さを揃え、自分の左目で相手の左目を見るように、目線をしっかりと合わせて、一分間そのまま見つめ合うと良いらしい。ある種の精神的な結合が生じ、二人は永遠に結ばれると書いてあった。

僕は永遠を厭わないとしたらこの男だと思った。「ジョセフ、僕の目を見て」ゆっくりと彼を突きながらそう呟いたことがある。

出来るだけ長い間目を合わせ、そして僕はイった。

だがあのおまじないは失敗だったらしい。ジョセフは「切り離す」という考え方を常にする人で、それが誰もが自分にしてやれる最善のことだと、僕にもよく言い聞かせていた。「〝区切り付け〟しろよ、それはそれ、でしょ」熱烈なキスの合間を切るように、彼はそんなことを言った。僕はそれを本物の情熱から来るものと勘違いしていたようだ。「弱い奴ほど感情的ってこと」

そしてある日、ジョセフはこう言った。「もうひとつだけ。人を愛してはいけない」

僕はこう思った。「君も？」

何カ月か後、情欲のぐちゃぐちゃした混乱の最中、僕はうっかり「愛してる」と口走ってしまった。ジョセフは数秒間も固まって僕を見つめ「本気で言ってんの？」と聞いてきた。「本気だよ」と答える他なかった。

今思えば、二人の関係に墓穴を掘ってしまったのはあのときだった。すなわち、それが僕らが愛し合った最後、から二回目だ。最後のセックスはと言えば、獣の爪とぎと鳴き声が合わさったような奇妙な交わりだった。オーガズムに達するまで、僕らは二人とも泣いていた。僕ら二人が紡いできたものが――それが何だったのかは分からないが――終わらなければならないと分かっていたから、泣いていたのだと思う。

一年後、僕らはもう口をきくこともなくなっていたし、ドゥマゲテ市内で偶然会おうものなら、ジョセフは僕の目線を避けていた。だが僕は、彼のかつての言葉をずっと覚えている。「〝区切り付け〟しろよ」。他人への感情を抑制しながら、魅力的に人を振り払う術を身に着けろという意味だ。笑顔のテフロン加工だ。メルトイユの麗しい冷酷さが彩る、ある種の精神病への誘いなのだ。

僕のアパートで彼と会った最後の夜は、徐々に静かな会話へと落ち着いていった。「もしも……」ジョセフは斬新なまでに曖昧に言葉を紡ぎ始めた。緊張の糸が痛いくらいに張りつめた。その痛みも愛していた。「もしも、次にすることは絶対に失敗しないと言われたら、何がしたい？」

「ひとつだけ？」僕は訊いた。

「ひとつだけ」ジョセフは答えた。

僕はもう分かっていた。正直に言わないといけない。何があろうと。

「僕を愛してくれって、君に言う」目を逸らすので精一杯だった。

「イアン……」

「これだけは言わせて欲しい。僕はあまり正直に物を言わない方だし、段々と年が……年月が早く過ぎるようになってきてる」呼吸を整える。「星を……クソ、違う……運命を呪いたくなることがある。妙な仕掛けをされたから」

「仕掛け？」

僕は頷いて続けた。「僕は、君が愛せるようなタイミングで生まれてこれなかった」

ジョセフはしばらく黙っていた。

そしてやっとこう言った。「ごめん」

僕らの間に燃える静粛のなか、想っていた。

「考えなくて良い」僕は言った。

ジョセフに微笑みかけ、アパートの外に広がる夕闇を目で追う。

だが僕はこれをずっと考えていた。

毎日考えていた。

あの子は区切りを大切にしていた。家の中のそれぞれの部屋が仕切られているように、お互い独立して、完全に区切られ、堂々と、孤独でいる。

勝つか、死ぬかだ。

‡

区切り付けを覚えれば、傷付かずに済むようになるだろうか。全てが終わった今となっても、完全には分からないでいる。

どうして今頃、ジョセフを思い出しているんだろう。サミュエルも。トバイアスも。最後にリサルストリートの青年と会ったのは、もう何年も前のことだ。ジョセフの信条を思い出す。実のところ、僕らは皆、家の中に閉ざされた部屋を持っている。何か理由があって閉ざされ、その存在すら忘れ去られた部屋を。きっと未だ分からない未来のある時点で、その部屋を取り戻す必要性を思い出し、僕らは少しずつ探し始めるのだろう。小さな歩みの一歩一歩が、ある種の赦しなのだ。中に入り、その部屋に住んでいた亡霊たちのことを思い出すが、もう苛まれることはない。蜘蛛の巣を払う術はもう持っている。きちんと準備して、学んできたのだから。

重たいドアを開け、出来た少しの隙間から、光が、空気が差し込んでいく。

僕はいつかタンジャイのリサルストリートを訪れて、あの通りを歩き、そして歩き去らなければいけないだろう。

「ジャメ・ヴュ」敬愛すべきフランス人諸君は、ある言葉が意味を失うまでそれを繰り返し続けることをこう呼ぶそうだ。これについて考えてみている。あの子たちの名前を繰り返してみようかと思う。何度も、何度も、そうするのが疲れるようになるまで。意味が失われなかったらどうしよう、と思う。これはきっと、祈りのようなものでしかないのだろう、と。だがそれでも、やってみよう。

サミュエル。

トバイアス。

ジョセフ。

サミュエル、トバイアス、ジョセフ。

サミュエル、トバイアス、ジョセフ。

サミュエル、トバイアス、ジョセフ……

★　『愛するパリ　僕の頭痛のタネ』▼アメリカ人作家・ボールドウィンの回顧録。二〇一二年刊行(未邦訳)。

お茶休憩

スー・ユーチェン（英訳：ジェレミー・ティアン）

空が暗くなる。部屋に差し込んでいた午後の日差しが、潮のように引いていく。携帯で、ある番号にダイヤルした。機械的な女性の声が会社名を告げ「ご用件の際は　担当者の　内線番号か　分からない場合は　九　を　押して下さい」と続ける。一面ガラス張りの窓から街明かりが輝き始めると、比例して窓に映る部屋の反射も段々と濃くなってきた。ポラロイド写真がじっくりと鮮明になるように、米白色を基調としたインテリアが窓の中にも広がっていく。広々とした間取り。部屋の中央の真っ白なベッドは、オーブンから出たてのパンのようにふかふかだ。ピンクのソファ。正面にはピカピカのワイドスクリーンテレビが鎮座している。ベッドサイドのランプと背の高いスタンドライトが、部屋全体を暖かい黄色の光で包んでいた。男は、ぴったりとしたブリーフ姿の、己の長身のシルエットを見つめた。少しだけ肉が気になる。年のせいか、腹もひっこめておけなくなってきた。

受話器を取ったのは、部署で一番評価している女性社員だった。永劫しかめっ面で、毎日遅くまで残業をしている女だ。今日の業務にさしたる大事がないのを確認した後、男は、思ったより早く用事が済んだので今から一旦オフィスに戻る、という旨の報告をした。女はそれについては特に何も言わず、代わりに気を利かせて、部署のお偉いさんが集会に参加するため早退したのだと告げた。男は相槌の後、あの上司がどうあれ構わないと言った。来週あまり忙しくならないよう、仕事をいくらか整理しに戻るだけなのだから。

特に急ぎではない。ただなんとなく、会社に戻りたかった。会社の電話を使って妻に電話すれば、帰宅が遅いのは妻と同様残業のためだと言っても信憑性が高いだろう。なにせ、男は年間十四日の有給休暇を返上して働いて、その結果業績でも高い評価を得ているのだ。ただそのせいで本当に休暇を得る段になると、どんな言い訳も嘘くさく聞こえる。あの上司が何も追及しなかったのを幸運に思うべきなのだろうが、それはそれで別の悲しみを覚えていた。これまであんなにも尽くしてきたのに、上司にしてみれば特に目に留める働きでもなかったようである。

同じオフィスで働く、キラキラと瞳の輝きが眩しいあの若者たち。毎日を奴らと共に過ごす男には、避けがたい現実が常に突きつけられている。それは半年や四半期に一度の評価では拭い難い。この職場は評価が全てであり、無数の新参者が上へと昇りつめる機会を虎視眈々と狙っているのだ。男は、可もなく不可もないチーフという役職を得た、だからこれを守り抜かなくてはならない。やめてはならない。安定性とは、叱られてもすぐに立ち直ることを言うのだ。鏡を見れば、額には三十五歳とは思えないような深い皺が刻まれ、男はさながら中年代表といった風情だ。

あの子が、一目見るなり「パパ」と呼んだのも無理はない。

‡

あの子は、特に男と比べると実に若々しい新緑の芽のようだった。彼の写真がパソコンの画面に表示されたとき、男は身体の底の皮膚が弱く柔らかくなるような、奇妙な感覚を得た。土曜日だった。男の部署では、今年最大のプロジェクトに手こずって皆で残業していたところだ。情けない話だ、前日までに終わるはずだったものを。この日は上司まで直々に出てきて、定位置である男の真後ろのデスクから、羅刹天（らせってん）のごとく厳しい目をギラギラとさせていた。しかし昼食を抜いて打ち込んでみれば予定よりもすんなりと片づいたのだが、上司は空腹に耐えられなかったようで、これ以前に帰ってしまっていた。チームはリージェント・台北で打ち上げのハイティーをするのだというが、男は「家で妻が待っているから」と言って断った。無論、年長者として伝票の世話をするのを避けたかっただけである。

若い社員らは去り、その騒音も去っていった。広いオフィスには、男と蛍光灯が並ぶのみ。午後三時になると、部屋中に軽快なCポップが鳴り響く。音質があまり良くないので、音響の上でチームローラーを走らせているように聞こえた。この日は、ジョリン・ツァイのクイック・ダンス・ナンバーだ。ジムに通う若者たちは、この曲でエアロビクスをしているのだろう。去年の暮れにテレビでライブ映像を見た気がする。

十五分のお茶休憩。これは元々上司の提案で、男はそれを実行に移したのみだ。オフィスの雰囲気を和らげるためだとか言っていた。IT部門に頭を下げて自動音声システムを導入し、若い社員は好きな曲を集めた共有フォルダを作った。土曜の無人のオフィスには、いつものようにハーブティーやラテの保温カップを片手に談笑するスーツ姿も、チームメンバーの姿もない。男は、子供の頃を思い出した。喜び勇んでコンビニで友達と待ち合わせて、お菓子を買って、口の中で飴を転がしながら雑誌を立ち読みした、あの悪戯な気分だ。

ウェブブラウザを立ち上げ、チャットルームにログインする。ページの上部には、ポーズを決めるマッチョな白人男の肉体と電話番号。北エリアは二五〇〇人で満員、東エリアにも、少し待たないと入れないようだ。男のプロフィールには三十二歳と表示されているが、それでも黄色のボックスに黒い数字の年齢層は、この界隈ではジュラ紀の遺物同然に珍しい。件の男の子はすぐにチャット申請を送ってきた。男は即座に「写真ある？」と尋ねた。通常この手の会話は、「写メ交換しよ」「お先にどうぞ！」等と続くのだが、男の不躾な物言いにもかかわらず、あの子は予想通りと言うように即座にブログのリンクを共有してくれた。

　彼のブログには、アルバムのアーカイブがゆうに十個以上はある。九份の丘陵地帯、宜蘭の遊園地、墾丁音楽フェスの祭典でのアーメイのパフォーマンス。その中に紛れて「衝動買い笑　一目惚れ！♡」とキャプションがついた、新品の服を着た彼の写真があった。男は、マラベイ・ウォーターパークで撮られた写真をクリックした。抜けるような青空から日差しが照りつけ、右にだけえくぼのあるあの子の笑顔が眩しく輝いていた。ローライズの黒のブーメランパンツが、ジムで鍛えた逆三角形と細腰に映える。その友人たちも水着姿でキラキラしていた。

　島から島へと遊泳する船のように、男は彼のアルバムを片っ端からチェックした。チャットルームではしびれを切らした男の子が「写真見せてくれないの笑」と聞き返してきた。見せる写真がないと言えば不細工だと思われてしまうため、男は気丈に「MSNチャットに来てくれたら見せる」と答えた。あの子は「（笑）」と返信すると、ハンドルネームを共有してくれた。MSNチャットのウィンドウを見て、男は彼のプロフィール写真を香港ビクトリアピークで撮影されたものと分析した。ウインタージャケットに身を包み、カメラに向かって首を傾げ、パンツのポケットに手を突っ込んで決めている。対する男のアイコンは、芝生の上のサッカーボール。数行にも満たないチャットの後、あの子は男の身長、体重、年齢を改めて尋ねると、オフで会うことを即座に了承した。あまりの即断即決ぶりに男は、彼の写真は実はどこかから借りてきたものではないか、騙されているのではないかと疑い始めたくらいだ。

‡

あの子は台北の大学生らしい。壁の薄いアパートの、安くて覚束ない階段の上で同級生数人と暮らしていると言っていた。彼はシャワーを浴びた後、そのままシャツも身に着けず、白いタオルを巻いただけの姿でドアを開けた。笑顔が真っ白に輝いている。「今日は誰もいないから、どうぞ入って！」

リビングには、古いテレビと向かい合うようにボロボロの肘掛椅子がいくつか置かれていた。床に敷かれた発泡スチロールのマットの上には、空き缶や空き瓶が立ったり寝たりでいたるところに置かれている。建物の酷い老朽化はあの子の部屋まで浸食しており、クローゼットの内部は剥き出し、カビの触腕が壁紙をよじ登り、その隙間には雑誌や本の類が無造作に積まれていた。男はシャツとネクタイを身に着けて、まるで場違いな風貌である。その視線があの子に舞い戻ったときには、あの子の方では男をじっくりと観察し終えていた。「パパ、マジでサラリーマンって感じだね」あの子は言った。

はじめのうち、男はあの子にパパと呼ばれたのを随分気にしていた。彼が冷たい飲み物を取ってくると言って出ていくと、男はすぐに鏡の中の自分を見て、その額の皺や、こめかみから伸びる数本の白髪に目を留める。やはり来るべきではなかった。下手に長居せずお暇しようと、男は自分に言い聞かせた。

壁の鏡のすぐ横には、ポストカードや雑誌からの切り抜き写真が貼られている。数字や記号が並ぶ最中に、様々な男女の麗しい、薄い、スレンダーな身体が絡み合っている。ブルガリ、グッチ、ディオール、D&G、バーバリー、ルイ・ヴィトン、ジョルジオ・アルマーニ……まるで高級ショッピングモールの青写真のようだ。ゲイパーティ用のチラシもいくつかあった。銀色の背景にクリスマスっぽい赤色で招待が綴られていたり、頬に虹を描いた彫りの深いセクシーな男がいたり。こうした切り抜きは、まるで灰色の空に浮かぶひとひらの明るい雲のように、薄暗い部屋をひときわ鮮やかに彩っていた。

結露したコップを持ったあの子が、その煌びやかな肉体で男に迫ってきた。男は硬直してしまい、折角用意したさようならの言葉が腹の底に沈んでいくのを感じていた。「パパ、緊張してんの？初めてじゃないでしょ」あの子は笑顔を絶やさずに尋ねた。男はその視線を避けるように「ああ、でもそんなにしょっちゅうじゃないから…」などと口ごもった。目線を下げると、彼のタオルの下で、何かが蠢くのが見えた——

‡

あのデートはなんだか尻切れトンボな気がする。

ネット上で知り合う人とは、あまり会わないようにしている。面倒だし、知り合い（クライアントか、はたまた同僚か！）に出くわす危険があるし、それでブラウザの履歴でも見られたら、一巻の終わりだ。加えてネット上には嘘つきばかりだ。出会ってしまってから騙されていたことに気づいても後の祭りである。男は代わりに、その手の銭湯には頻繁に訪れていた。数百ドルで済むし、相手を実際に見てから行動できるのが良い。しかし現代ではクラブでのパーティが若い人の出会いの場として主流になったので、銭湯に来る若い男性は段々減ってきた。今では刺激的な雰囲気などまるでなく、中高年の慰め合いか、その手のサポートグループのような気分さえある。

男は経験豊富な方ではなかった。しかし、ひとつひとつの出会いを、記憶の倉庫に厳重に、後生大事に取っておく人間だった。寝室の電灯が落ちて、妻の身体が海蛇のようにダブルベッドの上を滑って男を組み伏すとき、男は倉庫からそれらの記憶を取り出して、映画のフィルムのように回して瞼の裏に投影してみるのだ。

男は遊び好きな方ではなかった。性的指向にも問題は感じていない。男がゲイなのは、性欲が溜まりに溜まって我慢ならないときだけだ。このアイデンティティで全く問題なかった。

ほんの数年前、そう、ここ十年以内の出来事だ。セクシュアリティという話題が世間の関心を集めていたのは、男が若い頃のことだ。マドンナがジェンダー規範に挑戦したり、パイ・シェンヨンの『Crystal Boys』やチュウ・ティエンウェンの『Notes of a Desolate Man』の発表もあり、ゲイ映画、ゲイ本、ゲイイベントなど、春に花が開くように、いたるところに同性愛コンテンツが咲いていた。クィア批評もそこかしこで目についた。男はそう積極的に行動するタイプではなかった。遠慮がちに、周りを見ながら慎重にことを運ぶうち、手探りで進むうち、いつの間にかお見合い婚に落ち着いていた。そして数年もすれば、セクシュアリティと同性愛の話題は過去の関心となり、忘れられていった。新規のゲイコンテンツはもうニュースには上がらない。今やそのときは過ぎ去った——あれは単なる歴史の一片だったらしい。今日の台北市の中心部には、日に焼けた肌の珍妙なマイノリティ集団が、プライド・マーチのルートの繁華街と地下鉄の山大寺駅と市政府駅の間を、栄光の名残よろしく歩き回っているだけだ。

男は覚えている。例えば、LGBT向けの書籍を取り扱う書店「ジンジン」が、「近所の迷惑」だとかで窓から石を投げられるなどの破壊行為を受けたり「不健全な影響を与えている」との咎で地元の裁判所に何度も何度も引きずられていく様を、新聞や雑誌の記事で見たときのこと。男ははっきりと覚えている。まず大学の同級生から電話がかかってきた。蒸すようなクラブハウスの隅で、お互いに股間をいじりあった、あの彼からだ。卒業後は同性愛者の権利を求める運動に参加し、小さな新聞社でコラムニストとして精力的に意見を述べていた、あの彼だ。男はそれでもこう言った。「俺は結婚を選んだし、毎日遅くまで残業しているから、街頭の抗議活動にはなかなか暇がなくて行けないよ。寄付くらいならできると思うけど」友人は分かったよと一言、そして口座番号を伝えて電話を切る。男は結局、振り込むのも忘れてしまっていた。通常の営業日にわざわざ特別に郵便局を訪れる暇を見繕うのは、非常な困難なのだから仕方ない。

そんなことを考えるたびに、カムアウトしないで生きてきて本当に、心から良かったと思う。

あの子のことを考えると、心のどこかが柔らかくなる。

無論これは愛情とは無関係だ。男はロマンチストな方ではなかった。性欲を満たすためのアクションは愛とは関係がない。人生が本来の軌道の上に戻ったら、即座に忘れるべきことなのだ。なのに男は、仕事の合間合間にオフィスであの子のことを何度も思い返した。ときには会議の真っ最中にでも、あのタオルを床に落とした彼の滑らかな肉体を思い出し、会議室の椅子から立ち上がれなくなるのだった。週に何度かは、最後のひとりになるまで残業を続け、ひっそりと受信ボックスを開いた。自分宛にメールしたあの子のブログのリンクを開くためだ。カーソルがその美しい肉体をなぞるように動き、肩、腕、腹を情熱的に往復した。そしてあの黒のブーメランパンツにたどり着くと、男の心臓は早鐘を打ち始めるのだった。

男はついに自分で定めた掟を破ることにした。同じ相手と繰り返し関わらずに済むよう、男はMSNのアドレスしか持っていない。だからわざわざ記憶を頼りに、あの子のプロフィールに検索をかける。見つけてみれば彼は今オンラインになっていた。ステルス解除の赤いアイコンをクリックして、これでまたあの子と繋がれる。

あの子は男がオンラインであることをみとめたが、声はかけてこない。アイコンの写真は相変わらず、ジャケット姿で首を傾げている。彼に話かけるためにわざわざオンラインにしたと思われることを避けるため、男は数分待ってから、笑顔の絵文字を送った。あの子からは何の反応もないかと思ったが、数分すると同じ絵文字が返ってきた。無理して笑ってるように見えて気に食わない。男は答えず、すぐにオフラインになった。あの子のことは頭の隅のごみ箱に捨ててしまおうと思ったのに、男は数日後、またオンラインに戻ってきた。今度は絵文字を送る前にあの子がオフラインになった。それを示す灰色のアイコンが、無情な拒絶の象徴のように思えた。

敗北の波が、男の中に押し寄せる。

あの日、あの子が服を脱がせてくれた。その後跪いて男のズボンのジッパーを降ろした。あの眩い笑顔。「ボクサーぶかぶか！　パパ、可愛いね」彼が本気だったのか、自分をからかっただけなのか、男には分からない。なにせ、彼の部屋の壁にブランド品の切り抜きが多量に貼ってあるのを見た後だ。それでも嘘は口を突いて出た。「普段こういうのは履かないんだけどね」あの子は男の下着に頬をこすりつけ、「これがいい、可愛いよ」と言った。パパに似合ってる、と。

あの子にすべて脱がされた頃には、夕日が部屋を眩しいだいだい色に染め上げていた。あの子が男の身体をすべて見ようと少し身を引くと、男は逆に近づいてシングルマットの上に彼を押し倒した。その細くしなやかな手がベッドサイドのテーブルを指すと、男はその先に必要なものが全て用意されているのをみとめた。ローションを手に取り、指を一本、そして二本と埋めていく。

あの子の脚が空を蹴った。全てが順調だった。男の方が、入る用意に手こずった以外は。

あの子は喘ぐのを中断して起き上がる。パパ、大丈夫？　男は微笑んで肩をすくめ、心の内ではもう立ち去る準備を始めていた。しかしあの子が彼自身を男の腰に当てながら耳元に囁きかける。パパ、ホントは休みの日だったのにいっぱい働いてからここまで来てくれたもん、疲れてるんだ。男の頬にキスが落ち、温かい息がかかる。耳たぶを撫でる手を、確かに感じたと思った。パパ、オレが入れる方やってもいい？　男はそれは丁重にお断りしたが、彼が達するまで自分の身体で擦っても構わない、というようなことを伝えた。そんなあ、パパと一緒にイけなかったら、次のお誘いし辛くなっちゃうよ、オレ。あの子は絵画のように、完璧で無邪気な顔をしていた。

男はブロックを解除して、あの子を一日中待っていた。数日後、あの子がようやく現れたとき、男はすぐさまもう一度会わないかと尋ねた。あの子が困り顔の絵文字を寄越すまで随分待った。その後「ルームメイト、最近ずっと部屋で超マジメに勉強しててさあ」と続く文字列を見て、男は果たしてこれは嘘かどうか測りかねていた。しかし意を決して「ホテルを取ろうか」と送ると、あの子は「ホテル⁉︎　すごー！　いつ⁉︎」と驚いた顔の絵文字を返してきた。それから、自分の方では週末と夜に仕事があるので月曜日から金曜日の昼間しか空いていないと続けた。金曜日の午後はどう、パパ。

パパはスケジュールを確かめる必要もない。パパはサラリーマンだから、営業日は九時から五時まで出勤しているに決まっている。しかしあの子をがっかりさせる代わりに、それしか手がないとでも言うように、男は即座に「全然大丈夫」と打ち込んでいた。男は自分に言い聞かせた。これは道を踏み外しているのではない。前回終わらなかったことを、終わらせるだけなのだ。

‡

準備に取り掛かる。ネットで部屋を検索し、五つ星の高級ホテルの空き室で迷った後、男は結局二人用のジャグジーと市街のパノラマビューつきのデラックススイートを予約した。前日の夜は妻の誘いを断った。仕事で大事な打ち合わせが大量にあって疲れたので、そんな気分ではないとか、そんなことを言って。

その日有給を取ったことを妻にどう説明して良いか分からず、結局何も言わずに出ることにした。いつも通りに起床して歯を磨き、いつも通りにスーツとネクタイを身に着け、ブリーフケースを持って家を出る。

万一にでも妻と鉢合わせようのない道を通り、繁華街のマクドナルドの二階席で二時間ほど新聞を読んで時間を潰す。男は自分の後にも新聞を読む順番を待っている人があることに気がついた。トイレに行く途中にその横を通りかかると、この人は猫背になって顔と新聞広告をくっつけるようにしながら、小さなメモ帳に何か書きつけていた。男が見ていることに気づくと、男性は顔を上げて微笑みかけてきた。このとき、男は自分がどう見られているのかやっと自覚した。そうだ、これではまるでリストラ直後の数日、妻に言えずにスーツを着て家を出る元・サラリーマンだ。

ホテルのチェックイン時間を待つ間、男は携帯電話を見つめ続けていた。奇妙なことに会社からの連絡はない。いつもなら、男の監督を待つ数多の業務が中途半端な出来で列をなしているはずなのに。自分が休んだ途端全てが上手くいくとはどういう了見だろう。これでは俺が毎日、何を忙しくしているのか分からないじゃないか。

昼になったので、男はホテルの横のショッピングモールのフードコートでカレーライスを食べることにした。時間はたっぷりある。ブティックを幾らか見て回り、高級ブランドの前を行き過ぎるうち、男はカルバンクラインの下着のディスプレイに目を留めた。無論知っている名前だが、敢えてよく見たことはない。彫刻のような肉体美の男女が印刷された長方形の箱が並んでいる。モデルはどれも透けた下着を着て、リラックスしたポーズを取っていた。価格シールを見ると、男が今身に着けているものを総動員してもその十倍では利かない気がする。男は悩んだ末、ウエストゴムに真っ赤なロゴが入った白いブリーフを購入した。箱に描かれたモデルは古代青銅のような見事な褐色の肌に、綺麗に剃った頭と射るような目が麗しく、金色のひげが魅力的な彫刻美だ。

‡

男は五つ星ホテルにチェックインした。エレベーターを上がって部屋の敷居を跨ぎ、華美を極めた空間に足を踏み入れる。明かりが素晴らしい。壁が一面窓になっていて、オフホワイトのカーテンが半分ほど、眩しい午後の日差しを遮っている。振り返ってバスルームを覗き、ジャグジーがネットで見たものと同一であることを確認した。

男は携帯電話を手に取り、あの子にメールを送信した。ホテルの名前、ホテルのある通りの名前、そして部屋番号。あの子はすぐに返事を寄越した。「こんな高級ホテルだったの!? パパ、すごいね!! まだ授業中。終わったら直行するから、またメールするね」さて、あの子が来るということが確定してしまうと、男は奇妙にも、自分の中に尻込みした気持ちを感じ始めていた。まるで今まで騙されていることを期待していたかのような、実際にあの子に来てほしくはなかったかのような、そんな気持ちだ。

コーヒーテーブルの傍らに腰掛け、男は白い陶器のマグにアメニティのジャスミンティーを用意した。

そして手品のワンシーンのように仰々しく、ブリーフケースからあのブランド下着と、薬の入った袋を取り出し、机の上に並べる。身に着けていた仕事着を一枚ずつ脱ぎ、クローゼットに丁寧にしまう。あの箱を開け、真新しいブリーフを履く。鏡の前に立つと、眩むような昼間の光が男の身体を照らし、肌は蒼白く、肉は柔らかく見えた。張りがあるのは今しがた購入した下着だけだ。

汗の滲んだ肌はエアコンの風を受けて急速に冷えた。ブリーフのみを身に着けた格好で、男は部屋を隅々まで歩き回った。窓際に優雅に座るベルベットのソファは太陽の光を受けて芝生のように温かく、ベッドのシーツは絹のように滑らかで、川に身を沈めるように涼しく、柔らかだ。クローゼットの内部にはニスが塗装されたばかり。便座は掃除されたばかりのように少し湿っている。男の素肌はその全てに触れてみた。

最後に、男はもう一度コーヒーテーブルに戻ってくると、袋の中のサファイアのような四角のそれを掌に乗せ、ジャスミンティーのマグをもう片方の手に取った。香りの良いお茶を一口、そしてその青い錠剤を飲み込む。

薬を飲んだ男はベッドの中央に横たわり、しばしシミひとつない天井を見つめた。心が急速に静まり返っていく。

あの子とは関係のない考えが頭をめぐり始めた。俺には何があるだろう。俺には何が必要だろう。男は時計のようにきちんと回答できる。この年齢で持つべきものは全て持っている。車のローンはほぼ完済、住宅ローンも完済、将来性のある仕事があり、役職もあり、責任はきちんと果たしているし、自分で選んだ方法で世界を見ることができている。今の暮らしに大変満足している。自分は今のままで全く大事ないと心から信じている。同情されるような筋合いは、全く見当たらない。

男はさらに考えた。今度はあの会社のお茶休憩の時間のことを考えた。そういえば俺は、温かいラテやクッキーを取りに行ったことがない。あの十五分間はマーカーペンを走らせて、チェック表を片づける時間だ。チームのメンツはこの時間になると自由に歩き回り、終業のチャイムを待つ小学生のように沸き立っている。俺の後ろには仕事の山がある。上司の席が後ろにある。背中に汗の膜が張るようだ。あの音楽が始まると、俺たち二人は椅子に張りついたまま、手足を不自然なまでにこわばらせて仕事に覆いかぶさっている。足の裏は床に張りつき、手首はキーボードの上の宙で固まり、肩は火山のように怒っている。

お茶休憩の度、こんなに強張った男の背中を見つめる上司はどんな目をしているのだろう。そう考えると、男は手足の先まで温かく血が通うのを感じた。頬が熱くなり、心臓がどくんどくんと脈打つのが分かる。薬が身体に浸透していく。少し頭を持ち上げて下半身を見てみると、新しいブリーフがきつすぎるのに気がついた。めまいがする。

時間がいつもよりゆっくりと流れている。電話が鳴らない。昼が空中分解する気配がする。男は己しか存在しない、純粋な世界に入り込んだ。外では太陽が急速に空を昇っていき、男の蒼白い身体をくまなく照らし出そうとしている。左手を上げて腕時計を見る。時計の文字盤に日光が反射する。もうすぐ三時になる。オフィスでは、あのゆったりしたお茶休憩が始まる。

その時、男は耳元に音楽を聞いた。音が段々と大きく、大きくなっていく。

★　墾丁音楽フェス▼台湾最大の音楽フェス。最南端の屏東県で春に開催される。

★★　アーメイ▼プユマ族の人気歌手、張惠妹(チャン・ホェイメイ)の愛称。ゲイパレードのレインボー大使を務めた。

★★★　MSNチャット▼マイクロソフトが運営するショートメッセージサービス。

上陸さん

ジョアナ・リン・B・クルズ

「ねぇロス、ここマジでどこ？　何時間も圏外なんだけど」グレイスがぼやきながら、携帯電話を四方八方に振り回している。「アリアの授業の発表会が水曜日なんだって、言ってあったじゃん」

「グレイスこそ、母さんに会ってくれるって言ってたろ」そこなら多少の電波が入るかと願いつつ、カンドンに向かって少しスピードを上げながら私は尋ねた。

「そうは言ったけど。風邪引くタイミングがちょっと悪いよね…夏休みとかだったらよかったのにー」

「ワガママ言わないでよグレイス。ガキじゃないんだから」

「もー！　まだ圏外！　先生にメールしなきゃなのに！　発表の課題曲が『ハバネラ』だか『セギディーリヤ★』だか、知りたいんですけど」

「その口にトルティーヤでも詰めたらいい」ぐだぐだ言うのをやめてくれないかと思った。フィリピン音楽大学の三年生にして、その態度たるや既に歌姫（ディーバ）である。

　友達全員がこの女には気を付けろと言うのだった。十五歳年下であることに加えて、彼女は悪名高い女だ。その悪名というのが、女と付き合えば男と浮気し、男と付き合ったかと思えばレズビアンに乗り換えるというものである。誰と付き合っても一年ともつことがない。更に彼女は「高メンテナンス必須」だそうだ。だがそんなことで愛想をつかす私ではない。私は尽くすタイプだ。愛情は、要するに投資の類なのだ。収穫出来るのは蒔いた分だけ。そして一目見た瞬間から、私はグレイスを収穫したかった。出会ったばかりのレズビアンカップルの婚約式でグレイスがシューベルトの『アヴェ・マリア』を歌っているのを聞いて、この儚げな女性のためにどんな「メンテナンス」でもやり遂げてやろうと決意する自分を感じたものだ。

「ちゃんと聞いてくれないよね。いっつもそう」と彼女は言った。長い髪をかきあげて、プレゼントに香港で買ってやったべっ甲のバナナクリップで留める。

「君のことだけは真剣だってば。誰のために働いてると思ってんの」グレイスと一年半も続いているのを得意に思う。この頃、分譲マンションの売り上げを二倍に増やすことに成功していた。素晴らしい一年だった。RAV4を買って、フィリピン・センテニアル仕様のナンバープレートに「DIVA（ディーバ）」と記した。グレイスがその意味を深く考えるような子じゃないと、心得た上でだ。

‡

前回の帰省から約七年。仕事がいつでも山積みだった。ママにしょっちゅう帰って来いとせがまれていたが、休暇を取る余裕はなかった。前回の帰省ではマノン・タビオの家が改装され「コンクリ化」していた。その家の羽振りが良いという確かな兆候である。彼と話すチャンスはついぞなかった。いや、話したくなかっただけかも知れない。

故郷はナルバカン。イロコス・スルの小さな町で、有名なものと言えば修道院の他ない。その修道院だって他の修道院となんら違わない、古い刑務所のような建物だ。「ディエゴ・シランは反乱のとき、ここでビガンの司教を捕虜にしたんだって。知ってた?」ミサの後、ちょっとしたツアーを敢行してくれたデデが誇らしげに言った。四歳年上の彼女は、世の重要そうなことについて私を教育する責任を感じていたらしい。どうしてこんなに世話を焼いてくれるのかと不思議に思う反面、私は満更でもなかった。高校生と手をつないで街を歩くのは特別な気分だ。デデとは隣人同士で、親がビジネスパートナーでもあった。デデの父親が手描き柄のスペイン扇子を作り、私の母がそれをビガンで家から家へと売り歩く。ママは商品を細身の箱に入れると、これを「アバニコ」と呼んで二十ペソの値札を妥当に見せていた。ママは裕福なメスティーソに、この絵柄は年老いた地元の芸術家が入念にひとつひとつ描いたもので、全て一点ものだと言い聞かせた。それからいずれこの芸術家が息絶えたあかつきには、アバニコは家宝になるだろうと。

この話は、内容としてはほぼ事実だった。ただし、マノン・タビオはそんなに年寄りではない。彼はおそらくママと似たような歳で、つまりせいぜい四十二歳辺りのはずだった。毎週土曜、授業のない日は、その作品を見たくてマノン・タピオの家にお邪魔した。客間全体に油絵用のペンキとオイルの匂いが充満している。部屋に入った瞬間に深く息を吸ってこのなんとも言えない香りを堪能しておく。長く居座ると消えてしまうのを知っていたからだ。大きな電球の照明のあるマノン・タビオの机以外、この部屋は全体的にとても暗く、視界がくらくらとすることが多かった。塗装が終わった扇子は床の上で壁に立てかけて乾かしてある。これを倒したりしないよう気を付けて過ごしてはいるのだが、それでも落してしまうことが少しはあった。マノン・タビオは怒ったりしなかった。彼が口を聞くこと自体稀だった。いつもアバニコに猫背で覆いかぶさり、その小さなブラシで花のデザインを丹念に描いていた。

リアルな着彩が出来たかどうかと、花の色合いを入念に確認するその鉤鼻の上に、分厚い眼鏡がちょこんと乗っていた。ただの扇子が美しいアバニコに変わり、教会の蒸し暑さに溶けそうな女性をも優雅に涼ませてしまう様に、私は心を奪われていた。

デデが父親の下で修行しないのを、勝手にもったいないと思ったものだ。私がマノン・タビオの娘だったら、間違いなく教えを請うただろうに。あの小さなブラシを魔法の杖のように振るう様を、毎日間近で見て学んだろう。そして花でなく、私なら鳥を描いただろう。私の鳥は、女性がアバニコを開いて涼むたび、風を歌うのだ。この夢について聞かせると、デデはバカみたいだと思ったようだった。「父さんみたいにはなりたくない。ずっと家で座ってるなんてイヤだもん。私はマニラに行って、そうだな、大女優になりたいの」

デデの夢はバカみたいではなかった。私には既に大女優に見えていたのだから。私と違って彼女は色白で、父親似の鉤鼻はカガヤンのイナバグ族特有のそれだった。デデは背も高い。目と髪は綺麗な茶色をしていた。デデ曰く、会ったこともないメスティーソの母親から受け継いだものらしい。デデは財布に母親のセピア写真を持ち歩いていた。「ママは私が赤ちゃんの頃にマニラに出稼ぎに行ったんだって、パパが言ってたから」

「だけどどうやって探すつもり?」

「ママが見つけてくれるでしょ。そのために有名になるんだから」と彼女は微笑んだ。

それが彼女の顔で唯一の欠陥である。デデは歯並びが悪い。「がったがた」と私はからかった。

「でもパパはね、これは将来お金持ちになる証だって言うの」

「どうして？」

「お馬鹿さん！　ほら、口に見合わないくらいたくさん詰まっているでしょう。だからがったがたになっちゃうの。そういうこと！」デデはこの説明ですっかり納得しているらしかったので、それ以上何か言うのはやめておいた。私は正直、デデのがったがたを可愛いと思っていた。

　この町にはコンクリ建ての家なんて数えるほどしかなかった。そんな家に住んでいれば、噂され、羨まれるのものなのだ。「上陸さんの家だ」と大人たちは囁いた。だが私には「ジョーリクサン」の意味が分からない。イロカノ語ではない言葉だし、子供が話してはいけないものなのかと思って、聞くのを躊躇っていたのである。それでなくてもママに生意気な子だとよく叱られていたので、恥の上塗りというわけにはいかないとも思っていた。

　ある日、この眠たげな町がにわかに活気づいた。年頃の娘のいる家庭が特に大騒ぎになっている。

「上陸さんだ！　上陸さんが来る！」それで流石に好奇心が抑えきれず、私は母に尋ねた。

「あのねえおチビ、上陸さんってのはハワイから帰って来る人らだ」こう聞いても、帰省のお土産以外に何をそんなに興奮することがあろうかとしか思えなかった。お土産だって、どうせ近しい親戚の分しかないだろうに。みんなスパムを欲しがるけど、イロカノ料理のバグネと比べたって、特に珍しいとも高級だとも思えないし。ママは私の疑問符だらけの目を見抜いて詳しく説明してくれた。「上陸さんはね、若い花嫁を見つけに帰って来るんだよ」

「わざわざそのためにハワイから来るの?」

「たぶん、外国人はどうしようもないからイロカノ女と結婚したいのだね。さあさっさとお食べ。私は出かけるんだから」

その午後、私は上陸さんと、コンクリ建ての家と、イロカノ人花嫁のことをずっと考えていた。ママは私が若すぎて今度のお見合いの資格がなかったのが残念だったのではないかと。でも資格十分な年齢だったとして、見知らぬ人と結婚して家を離れたいとは私は思わない。この騒ぎがなんなのか、やはり理解出来なかった。

「ロザリオ! こっち!」これは秘密の合言葉。声の主はデデだ。私は窓から身を乗り出す。

「あとでダンスパーティーがあるの、上陸さんの家で!」デデはそう叫ぶと、にっこりと笑った。

「ダンス? それがどうかした?」

「私、パパと一緒に行く!」

「どうして?」
「お馬鹿さん！　私今年で十五歳になるの。上陸さんが見初めてくれるかも行かないでと頼む前に、彼女は手を振って「もう着替えなきゃ！　じゃあね！」と言った。デデがうきうきとスキップしながら私から離れるのを見送った。これがこっちに向かって来てくれるのだったらどんな気分だったかと空想してしまう。バカみたいだったのですぐにやめ、私はダンスを遠くから見物してやろうと決めた。

四時に会場に着いた頃には、上陸さんの親戚がまだ忙しそうに、色つきの細長いクレープ紙で庭を飾り立てていた。ダンスエリアの周りにバナナの葉でフェンスを作っている人がいる。生演奏のブラスバンドまで雇っていた。ミュージシャンがピカピカの楽器をチューニングしている間、別の大人がランプにポンプで灯油を差し、明るくともったそれをダンスエリアの隅や、上陸さんと親族用の特別席の長テーブルの上に置いた。

丈夫な椅子がテーブルの向こう側に長い列をなしている。これは花嫁候補の陳列用の席らしい。テーブルの右のフードカウンターに、豚の丸焼き(レチョン)が既に出ていた。それを見ると腹が鳴るけど、上陸さんの晩餐には意地でも行かないぞと心に決めた。金にだまされるつもりはない。いやしんぼにはなるなと母親にも言われていた。デデの家でご馳走になるといつも叱られた。「娘を養う金もない家だ」とご近所さんに思われることを、ママは嫌がっていたのだ。でもマノン・タビオがギナタン・タランカ——小蟹のココナッツミルク煮のことだ——を出してくれたら、私はもう我慢なんか出来なかった。

フェンス外の野次馬はどんどん増えた。若い男たちが、俺たちの女を盗む上陸さんを一目見てやろうと群がっている。その人ごみに隠れながら、どうしてこんなところに来てしまったのだろうと考えていた。自分でもよく分からない。

女の子たちが両親と一緒にやってきた。デデはごわごわのピンクのドレスと新品の白のハイヒールを身に着けていた。デデじゃないみたいだ。巻き髪にして、ピンクのリボンで結わえて、正直すごくバカみたいに見える。頬と唇にピンク色の粉なんか塗りつけて、それでもっと可愛くなれるだなんて、デデは本気で思ったのだろうか。上陸さんが来た。マノン・タビオは誰とも目を合わせようとしなかった。父親は娘を前に出して、すぐに引き下がった。

‡

女の子たちは一張羅のドレスを着せられ、ウエストを締めつけてスレンダーな身体を強調していた。会場全体に、その母親たちの選んだジャスミンとティーローズの香水が花束のように咲いている。

先に来た女の子たちは真ん中辺りの席に座った。上陸さんからよく見えるだろうと考えてのことだ。中には嬉しそうに見える女の子もいる。自分こそが選ばれ、ワイキキに連れ去られたいと願っているのが分かる。彼女たちは輝いていた。それ自体は不細工な響きだと思うけど、ワイキキという地名に伴う、あの輝く海との地平線のイメージは確かに魅力的だ。

マナン・リリアはコンパクトミラーを何度も開いて頭のリボンを直していた。それに何度も立ち上がってダンスフロアを横切り、あれこれと話しに両親を呼んだ。一度は途中でアバニコをわざと落とし、屈んでそれを拾うという大胆な見せ場を作っていた。上陸さんに窓からスカートの中を覗いて欲しかったのだろうと思う。彼女はその年二十一歳になり、町の男からは全く相手にされなくなっていた。豊満な胸とお尻の持ち主で、それは女性の器量を示す縁起の良いものと見做されていたので、どうしてモテないのか誰にも分からない。他の女の子はまだ二十歳にもなっていなかった。この町では二十を過ぎて結婚していない女は売れ残りだと考えられている。当人の両親でさえ、せめて修道院に行くべきだったと彼女に告げる始末だ。少なくともそれなら主に仕えることが出来るし、家族の負担にならないだろうと。女の子が初潮を迎えると、結婚の資格十分と見做される。だから我々はかなり早いうちから、料理、裁縫、洗濯、アイロンがけなどを教わるのだ。でも私は自分が結婚するだなんて考えていなかった。老後のママの世話をしたかっただけだ。

私以外に、誰もあてがないから。

六時頃、夕食の前に主催の一家が群衆を招き「この晩餐を可能にしてくれた、親愛なるサミーに」と音頭を取った。みんなが拍手して、バンドはイロカノに伝わるラブソング「パムリナウェン」を演奏し始める。マノン・サミーがコンクリートの階段を下りてくる。彼はアメリカーナのネイビーブルーのコートと、揃いのフェルトハットにネクタイを締めていた。暑いだろうに、あの厚着にどう耐えているのか疑問に思ったが、群衆のなかであんな高級スーツを着る唯一の男でいるのは、さぞ気分が良かったのだろう。

この男が年を取っていると聞いてはいた。どんなとんでもない年寄りだかはっきり分かったのはこれが初めてだ。祖父が生きていればこんな見た目だろうかというほどの老爺だった。優しい目をしていたが、女の子たちの誰も、その妻と想像するには無理がある。滑稽だ。恐らくハゲを隠すために妙な角度で頭に乗ってる、あの帽子と同じくらい滑稽だ。身体を支えるのに杖が必要だろう。階段から落ちてしまうのではないかとハラハラさせられる。微笑む顔を見ればサイズの合っていない高級入れ歯に嫌でも気付いてしまう。あれでは、レチョンを食べるのに確実に苦労する。

彼があの特別席に着くのを見て、違和感で喉がつかえた。選ばれた女の子が本当に可哀想だと思う。仮にあのマナン・リリアが選ばれても哀れんだだろう。自分の娘たちにこんな運命を望むなんて、親たちはなんて馬鹿なんだと憤慨した。墓に片足突っこんだような爺さんに、娘が攫われていくのを喜んで見過ごすなんて。同時に、この上陸さんも気の毒だと思った。花嫁候補の女の子は誰も、愛情なんか感じちゃいない。彼にだってそれは分かっているはずだ。この宴が、この一連の上陸さん騒ぎだけが、あの人が妻を見つける唯一の方法なのだ。恐らくは、時間をかければ愛情も芽生えるだろうと期待しているのだろう。その時間さえ、あの老爺には大して残されていないのに。私が幼すぎて理解出来ないだけだろうか。

彼がデデと踊るのを見たくなかった。デデに触れるのを見たくなかった。私は走って、あのおぞましいダンスフロアから逃げ出した。涙で視界がぼやけた。見上げれば、太陽が地平線へ沈もうとしていた。空は真っ赤だ。レチョンの口に詰められたトマトのように真っ赤だ。私は突然の吐き気に襲われた。なんておぞましいだろうと、胃液を吐きながら考えた。

デデは一週間後、ハワイに旅立った。デデを愛していると、何度も何度も泣きながら伝えたのを覚えている。一体どういう意味の愛しているなのか、私たち二人とも、きっと分かってはいなかった。

「ロス、ねえってば！　おしっこしたいって言ってるじゃん！」グレイスが私の肩を軽く叩いた。

車を停め、「ハイ、しなよ」と言った。辺りはタバコ畑が広がり、今季二度目の収穫の準備が整い始めていた。車から降りて深呼吸する。最初の就職先を思い出していた。タバコの葉を細い竹の上にひもで締めて乾燥させるというものだ。指にはまだ、竹の鋭い先端で創った傷がある。

「すみませんけど、私、一部の方と違って高速道路でケツ丸出しとか絶対無理なわけ。車の中でやらかす前に、とっとと人間用のおトイレを探して下さる?」

「ああそう」

運転した。一切の口を聞かず、運転した。ナルバカンを通り過ぎ、アブラ・デ・イログに架かる橋を通り過ぎ、ビガンに直行した。気付いてしまった。もし私がレズビアンの上陸さんになってしまったとしても、デデが手に入らなくても、そんな私に選ばれた誰かなら少なくとも、愛じゃなくても、感謝の意を捧げてくれただろうと。ホテル・コーディレラ・インに駐車し、財布を取り出し、ぱっと車から降りたグレイスに二千ペソを渡した。「じゃあね」と私は言った。「またマニラで」

今度ばかりは言葉が出なかったらしい。私に聞こえなかっただけかも知れない。携帯電話を片手に、お金を他方の手に突っ立って、彼女はうなだれて、私が走り去るのを見ていた。

誰かに助けを求めて、メールしていただけかも知れない。

★『ハバネラ』『セギディーリヤ』▼どちらもオペラ『カルメン』の劇中曲。

★★マノン▼イロカノ語で、主に年上の男性につける敬称。女性にはマナン。

★★★メスティーソ▼フィリピンでは、先住民と中国系の混血の人々をメスティーソと呼ぶことがある。

★★★★スンキ・スンキ▼イロカノ語。以降イロカノ語は斜体で示した。

★★★★★上陸さん▼原語では「Landing(s)」。一八世紀初頭のHSPA(Hawaiian Sugar Plant Association)による移民計画において、ハワイへの移民の募集が為された時、イロカノ族の男性のみが渡り、女性は国に残された。男性の帰省にお見合いの側面が発生したことから、Landingの出戻りお見合い文化が生まれたとされる。

★★★★★★バグネ▼豚バラ肉を茹で、カリカリに揚げたイロカノ料理。

蚵仔煎（オアチェン）

リディア・クワ

トコン通りに面するベジタリアンレストランから出てみると、立ち並ぶ屋台に人々がごった返していた。さっきまでの落ち着いた雰囲気はどこへやら、一転人混みと喧騒に溢れかえっている。二つの長テーブルが並ぶ上には、生のザル貝、ムール貝、タマキビ貝などがどっさり乗ったホーロー皿が山のように積まれている。横のショーケースには、砕いた氷の上にエビやイカがなんとも旨そうに飾ってあった。ぷりぷりの貝がソテーソースや黒豆ソースに和えてあるのを食べていかないなんて勿体ない、アンタおかしいんじゃないのかと、男が通行人を大声で焚きつけている。

食べられる物はなさそうだ。アマンダは苦笑した。あの美味しそうな御馳走の仕入れ先などが気になるところだが、アマンダの頭を支配するのはそれに含まれる有害物質のことばかり。旨い物には毒がある、そういうこともあるだろう。彼女はひとりごちた。

客は恥も外聞もなくテーブルに肘をつき、貝にしゃぶりつき、音を立てて啜り、ついでに指を舐め、余すことなくこの快楽を味わい尽くしている。アマンダは見ていて痛々しく思った。

右を見れば赤ら顔の商人が、たっぷりの卵液に、これまたたっぷりと牡蠣を入れたのを、群衆の前で揚げ焼きにしている。巨大な平鍋の中で生地を返そうと、大きなヘラを両手で振り回す。この女の右側にはオイルや醤油の入ったボトル容器が並んでおり、時折右手のヘラと巧みに持ち替えて調理しているようだ。女は次いでボウルに入ったニンニクをヘラでひと掬いし、また別のボウルからチリソースをたっぷりと取って豪快に鍋に放り入れた。煙に混じって、ニンニクの香りが漂ってくる。アマンダは鼻をさっと覆い、手の平に何度も咳き込んだ。

鍋の下から勢いよく飛び出す炎が、見物人に殺人的な熱風を味わわせている。露天商は首にかけた真っ白なタオルで、顔や首筋からしたたる汗を拭った。懐かしい風景だ、とアマンダは思った。商人が皆首にタオルをまいて、真っ赤な顔に浮いた脂汗をしきりに拭き拭き、料理をする風景。

彼女の顔も暑さで紅潮していた。料理という一種のパフォーマンスを見物しながら、首の付け根から下へと背中を流れていく汗は一筋の同情だ。

最後に蚵仔煎(オアチェン)を食べたのはいつだったか。蚵仔煎、つまり牡蠣入りオムレツは、言うなれば幼少期の思い出の味だ。まだ両親とシグラップ地区に住んでいた頃、テロック・クラウ・ロードの近くの路地の露天商からよく買って食べていたっけ。蚵仔煎は口寂しい深夜に食べるちょっとしたおやつとして、結構な人気スナックだった。今は両親もマリンパレードにある政府の公営住宅に住んでいる。

小さなアマンダは、牡蠣というのを「蚵仔煎にしか入っていない特別なもの」と信じていた。それがカナダの学校に通い始めると、殻付きの生牡蠣やモツ焼きなんかを食べる機会に沢山恵まれることになる。カキフライサンドというのもメニューで目にしたことがあるが、巨大な牡蠣がパンに挟まれているイメージにはあまり食欲を感じず、結局試さずじまいになってしまった。

アマンダはまた咳き込んだ。ピリピリするような濃い煙が彼女を現実に引き戻す。こんな風に賑わうマラッカを見ると、四十年前のシンガポールを思い出す。頭の中に鮮明にあの光景が浮かんできた。屋台の支柱と支柱の間には裸電球が下がり、下では焚火が勢いよく燃えている。できたての蚵仔煎がたっぷりと乗せられた四角いヤシの葉を、商人が器用に折り込んで包みにする。それを前日の新聞でまたくるみ、紐で結わえる。そうした包みをいくつか、透明のビニールに入れてお客に渡す――。

幼少期も、思春期も、アマンダは蚵仔煎が大好物だった。トロントの学校に通っている間に、それをすっかり忘れてしまっていたようだ。熱々の蚵仔煎。その香りに包まれながら、アマンダは懐かしんでいた。思い出さなければ懐かしむこともないのに、面白いものだ。彼女はひとりごちた。

生牡蠣を食べていた時期もあった。食べ物アレルギーとは無縁の日々が長かったので、口に入るものについて心配するという経験がなかった。なんでもよく食べた。葉巻を吸ったし、スコッチも飲んだ。若者が若さを無駄にする、の典型例だ。アマンダは苦笑した。こう言ったのは、オスカー・ワイルドだったか。

‡

牡蠣を一切食べられなくなってしまったのは、ここ八年の間のことだ。他の貝類も全部がダメになってしまい、禁止リストには新項目がどんどんと加えられていった。吐き気と胃もたれ、そして強烈な怠さと全身の痛み。そこまでして食べるものじゃない、それだけの話だ。

食、ワイン、旅を扱うオンライン雑誌、サヴール誌の夏号の記事を思い出した。バンクーバーからシンガポールへ向かう機内で読んだ、アラバマ州のマーダー・ポイントで養殖されている牡蠣の話。

捕食者から守るためのケージを定期的に水中から持ち上げて日の光に当てることで、牡蠣の殻に蔓延る海藻を除去できるのだという。この特別な養殖法なら何かが変わるんじゃないか、とアマンダは思った。この特別な牡蠣なら、食べてもあんな嫌な目には遭わずに済むんじゃないだろうか。記事の一節にちょっと刺激されたのだ。「身は少々小ぶりだが、非常に深みのある豊かな海の香りが口いっぱいに広がる」

サヴール誌は好きだ。書かれている料理を実際に食べることが叶わなくても、こうした言い回しの数々にはアマンダを満たす美味しさが詰まっていた。巧みで豊かな言葉で書き表される食物は、この身体に毒を為さない。言うなれば純粋なる、無償の愛だ。

熱気と騒音とがざらざらとアマンダの皮膚を擦る。またしても現実に引き戻された。金曜日のマラッカは活気に満ちている。仮設ステージの上では、クリノリンで膨らませたピンクのドレスを纏った中年女性のグループがラインダンスを披露している。アマンダは母と一緒にここに来た日のことを思い出した。父が他界して五、六年後。一九九五年頃だったか。三輪タクシーで街を回るのが大好きな二人だった。あの頃はこの街も違った。心からくつろいで気楽に楽しめるマラッカだった。今や観光客には金を落とせと四六時中、あの手この手で四方八方から煽ての声がかかるのだ。全く、休まる暇もない。

ハング・ジェバト通りを歩き出す。この通りには車も三輪タクシーもない。中国製品を売る店がひしめいている。しかしニョニャ料理★の店となるとほんの一握りだ。パイナップルのタルト、ドリアンのパフ、カレー粉のオリジナルブレンド。バンクーバーの友人へのお土産にカレー粉を三パック買ったが、一パックで二ドル以下のお土産だけではあまりにお粗末な気がする。

通りの中ほどでは、人相占いなる露店が待機列に五名も並ぶ盛況ぶりだった。対岸では、ヘナタトゥーのブースで女性がお客の手の甲に模様を描いている。

通りの端まで歩き切る頃には、アマンダのTシャツは汗でびっしょりになっていた。だがこの高湿度の最中でも、人混みを行くのは楽しい。観光客の群れに埋もれて、誰もアマンダの存在など気に留めないからだ。一方の彼女は、他人の脚や肌の露出を興味深く観察する方である。いつからかそうなった。

目と目の間、鼻っ柱の中ほどに、アマンダは自分の隠し事の重みがのしかかるのを感じた。飢えて見つめるのではない。羨ましくて見つめるのだ。他人の肌で生きてみたかった。完璧に見目麗しいとはいかないまでも、少なくとも人類の許容範囲として及第点くらいにはなるだろう。女を情欲の対象とした時期は長かったが、この強烈な羨望は、それとは全く異なるものだ。

あの日々。しかし、何がどうしてこうなったのだろう。アマンダは、何かを思い出そうとして顔をしかめた。

牡蠣が食べられなくなったのと同時期、誰かと共にありたいという想いも止めてしまった。ちょうどあの人と別れた頃じゃなかったか。不思議な偶然だ。アマンダは自身に把握しきれない、何か深い真実の存在に気がついてため息をついた。

シンガポールで育ったから、女性に心惹かれる気持ちは抑えて過ごしてきた。七〇年代のシンガポールには、先生やクラスメイトに抱いた気持ちにつける名前などなかったのだ。「レズビアン」という言葉さえ知らなかった。誰もが男と女でペアになるのだ。それが自然の摂理だし、神様がそう思し召したのだと信じさせられてきた。十四歳のとき、クラスメイトの女の子が二人で手を繋いでいるのを見ても、アマンダにはあまりピンと来なかった。

カナダに行ってみるまで、自分が女性と付き合うというのを、飲み込むことができないでいた。付き合ってきたほとんどの女性は、異性愛者で、既婚者で、苗字を破棄した人たちだ。そこまでしても、やはり自分の欲望が何か忌避するべきものであるという気分を、彼女は捨てきれずに生きてきた。キリスト教の教えがカナダまで着いてきてしまったのだろうか。心の奥底にある罪悪と恥の塊のようなものが枷となっているのだろうか。それで、本当は女性と共にありたいのに、その欲求を正当化できないでいるのだろうか。

最近のアマンダはまた別の意味で化け物じみてきていた。脚が異常に赤いぶつぶつで覆われ、暑さのせいか、または何か別の食物アレルギーのせいか、兎角非常な不快感を発している。スカートやショートパンツはもちろん履けないし、カプリパンツもダメと分かって、アマンダは仕方なく、足首まで覆う長ズボンを履いていた。

‡

この数日後、まだシンガポールにいるうちにと、友人たちとレストランで集まった。シー通りに新しくできたスウィー・キーという店だ。さっきまでの雨のために気温が低かったせいか、グレースは右隣で妙に静かだった。アマンダも同じように静かにしていたかったのだが、今回彼女は遠くからやって来た側の人間である。当然、他のメンツがひっきりなしに、バンクーバーでの暮らしについて聞いてくる。

そして当然、皆チキンライスを注文した。テーブルの対岸にいたチェン・ファアットが蚵仔煎も食べたいと言い、他の三人も全く同意した。

ウェイトレスは十五分ほどで料理を持って戻ってきた。テーブルに恨みでもあるかのような所作で皿を並べていく。海南（ハイナン）チキンが大皿二つ、空心菜のニンニク炒めが二皿と、ご飯が一人一皿。蚵仔煎は、ウェイトレスが不思議な第六感を発揮でもしたかのように、絶妙にアマンダの手の届かないところに置かれた。

ホールには給仕が三人。どれもまるで客が親の仇でもあるかのように、一触即発の攻撃態勢といった雰囲気を放っている。アマンダはこの人たちが雇われのスパイで、誰かを暗殺しようとしているという設定でひとり愉しんでいた。あのしがないウェイターのエプロンをはずすと、黒いレザーのテディとピンヒールのスパイが颯爽と現れ、白む空の下、悪人を仕留めに駆けだしていく——。

友人たちは蚵仔煎に手を伸ばした。昔の好物を前にあまり喜んでいないことに気が付かれたようだと、アマンダは「貝アレルギーが出ちゃってさ」と丁寧に微笑みながら言った。

「うわー、じゃあマラッカにいるのにニョニャ料理も抜き?」チェン・フアットが聞くと、彼女はうなずいた。

「福建やきそばもダメだし、ブラチャン調味料入りは全部ダメってこと！　大変だねぇ」ダニエルは心から同情したような調子で言った。

「そっか。うわ、そりゃキツいな」ピーターが驚いた声を出した。

アマンダは何も言わなかった。やっぱり健康が一番だねとか、言わなくてはならなかっただろうか。アマンダの『欠陥』に関するこの手の反応は、あまりに予想通りでいっそつまらない。彼女は忍者のことを考えて気を紛らわせることにした。

というのは、日本映画で見た忍者のことを思い出そうとしていたのである。子供の頃テレビで観た記憶では、たしかいつも危険な場所にいて、木造の家屋で見上げると、垂木にくっついて見下ろしていたと思う。忍者は隠れるのが上手いだけでも、毒矢を吹いて影から敵を倒すだけでもない。レーダーのように鋭敏な危機察知能力があって、余程のことがなければ失敗しないのだ。

蚵仔煎の酔うほどに旨そうな香りが、離れていても漂ってくる。アマンダは目を閉じる。最初に感じたのは、ズキズキとした物足りなさだった。ズキズキは胸に広がり、喉の方までせり上がってきた。もしも。口の中で唱えてみる。もしも。

呪文は効いたようだ。口の中に海が広がる。ふんわりとした卵の解ける最中に時折愉しく割り込む、片栗粉の織りなすもちもちした弾力。潮の細かい泡たちが口中で小さく弾け、あいまいな牡蠣の輪郭が想像に火を燈した。立ち現れては消える味の波。ニンニク。コリアンダー。チリソース。ライムジュース。

サヴール誌のあの言葉が蘇ってくる。「身は少々小ぶりだが、非常に深みのある豊かな海の香りが口いっぱいに広がる」

あの少々小ぶりなのが、そそるんだ。そういうこともある。アマンダはひとりごちた。かつて堪能したあの味、あの形。潮のようなかつての恋人たち。底に隠されたひだの奥深く。悲しさと感謝の気持ちが入り混じったようなため息が漏れた。この能力については、いまだ誰にも話していない。一度経験したことなら想像の中で完全な形で追体験できるというのが、アマンダが大切にしている唯一の秘密である。

★

ニョニャ料理▼マレーシア料理の一種。十五世紀後半に移住してきた中華系移民の男性と地元マレーの女性(ニョニャ)の婚姻がきっかけで発祥したとされる。

サンクチュアリ

ネロ・オリッタ・フルーガー

叔母の呼び出しがあったとき、僕は大学で学生たちの提出したレポートをチェックしていた。叔母がこの世を永久に去り、埋葬のためキダパワン★へと向かうことになる、ほんの数日前のことだ。電話をもらってすぐ後に、入院先のブロケンシャー★★の病室を訪ねた。ダニエルも一緒に来た。

「頭、まだ痛い?」僕は聞いた。

「もう慣れて何も感じないよ、なんて言えたら良いんだけど」叔母はクスクス笑った。そして僕の近況はどうか、大丈夫なのかと逆に尋ねた。レニ叔母さんは死の床にあって、まだ母の顔をしている。感謝の気持ちと、恥じ入るような気持ちの間で僕は揺れた。

「自分のことを心配しなよ、叔母さん」僕は言った。「病室で寝てんのはそっちでしょう」

叔母はダニエルに、僕がちゃんとやってるか、迷惑かけてないか、などと聞いた。ダニエルは「ダメダメさ」と冗談めかして言った。ちょっと前はもう少しロマンチックだったのにマンネリでいけない、とか、教えているのに料理もきちんとできない、だとか。叔母は大声で笑ったが、それで痛みが出たのか途中で止まった。頭の後ろの方にね、と叔母は言う。ずっとずっと、あるんだわ。調子の良いときには忘れちゃうんだけど、結局はまたこうやって襲ってくるのね。

痛いのが、必ず戻ってくる。どうしようもないことだ。その日、病室で叔母と一緒に、二週間がせいぜいだと言う医者の診断を聞きながら、胸を串刺されたように感じた。それすらとんだ買い被りだったと判明したのが三日後。苦しみは十倍になって襲ってきた。

「痛みからは逃げられないもの」レニ叔母さんは言った。「大人になったら分かることだけどね」

あれは僕がまだティーンで、ある少年のことで思い悩んでいた頃のことだ。そのときは叔母の言葉は何の参考にもならないと思っていた。聞いてずん、と胸が重たくなったのを覚えている。

そんな残酷なことしか言えないなら、敢えて何も言わなくたって良いのに。僕はそう思った。慰めも何もなしで、それだけ言い残すなんてひどいじゃないか。

一九八九年の夏、神父の少年補佐を養成する堂役訓練に入った。僕は九歳だった。地元の小教区、村から歩いて七分ほどのところにある大きな教会だ。アッシジ派のフランシスコ教会で、授業は一カ月間、毎週土曜日の午後に行われる。まだ若い神父たちが、僕ら堂役や聖具室係の仕事について教えてくれた。礼拝が始まる前には、大きな教会の隅に集められ、神父から聖書についてのお説教を聞いた。

毎週末、同じか、幾らか年上の総勢十四名で集まる少年たちは皆、同級生、学友、隣人か兄弟など、各々何かしらの繋がりがある面々だった。リコ・バンサリ、ドドン・ヒラム、ヒース・ゴメスの三人は、教会からそう遠くない場所にある古い孤児院「ボーイズタウン」の出身だ。キコ・フェルナンデスやライアン・リンバガのように、もっと遠くのマ・ア地区に住んでいる年上の子もいた。他についてはよく覚えていない。

リコは元々同じ学校に通っていた、背の低い少年だった。ほんの数年のうちに背の低い青年になる男だ。エネルギッシュで、不安定で、動くたび周りを傷つけていくようなオーラを持ったヤツで、僕は子供の頃、リコを全力で避けていた。彼自身、キコやライアンを傷つけるためにそのエネルギーを使っていたのだから当然だろう。ドドンとヒースはその辺を上手くコントロールしてやることで、リコと仲良く付き合っていた。

僕は独りぼっちだった。住んでいた村がマ・アのむら（バランガイ）からは少し離れたところにあったので、フランシスコ教会には余所者として来ていたのだ。サウスヴィラにある、ダイバーション・ロード沿いの小さな村だ。地理的に言えばマ・ア地区で間違いはないのだが、ここはあまりに孤立しているという一種の通念があるせいで、むらの一種とまではみなされていないきらいがある。

乗合タクシーの運転手は普通、そんなに遠くまで行くのを嫌がるが、中には乗せて行ってくれる人もいる。叔母と僕の二人は文明離れした生活をしていて、恐らく遠出と言えばそのフランシスコ教会までがせいぜいだった。悲しくてどうしようもないことがあると、僕はよくその敷地に入って、バスケットコートの側にある駐車場の縁石に一人で座っていたものだった。そうすると、重たい氷が溶けていくように段々と心が軽くなって、悲しみが消えて行く。高校の神学の授業でそんなことを言っていたから、これは神の御力なんだと思っていた。

トーマスと出会ったのは、件の堂役訓練でのことだ。あの広い教会で一緒に授業を受けていた少年たちの中じゃ、トーマスはとりわけ目立つ方ではなかった。というか、そこまで目立つようなヤツはいない。皆僕と同じようななりで、汗でベタベタの浅黒い肌に常ににやにや笑いを浮かべて、僕には全く意味不明の何かについてゲラゲラと大笑いしていた。僕はサウスヴィラという場所を象徴するように孤立して仲間を求めていたけど、あれに加わる気にもなれず自分に閉じこもっていた。叔母が迎えに来るまでの間、大人しく言われたことだけやっている子だった。

別に訓練が嫌だったわけじゃない。堂役には寧ろなりたいと思っていた。初めて叔母に連れてきてもらったときから、できるだけ教会の側にありたいと思ってきた。知る限り、フランシスコ教会ほど美しい場所はほとんどない。祭壇は高台になっていて、その中央に置かれたテーブルは流木から作られたものだ。傍らに立っているニス塗装された十字架も、やはりゆがんだ形をしている。アーチ型の高い天井の中央には、銀とステンドグラスの装飾が煌めき、司祭が聖体拝領のための平らな丸いパンを隠していた。

でもここで最も美しいのは、その裏にある庭園だ。屋根の影が覆わないところには、広葉樹の茂みや、色とりどりの花々が咲き乱れ、枝枝の切れ目から光が珠のようにさしこんで、まるで天国のようだった。日曜日の朝には天蓋から日光が通り抜け、線状の光が地面に向かって降り注ぐ。

一人でいることを選んだのは、単に習慣の違いのせいだ。男の子って分からない。僕だってその一人ではあるのだが、どうやら皆と同じようには面白がれないし、皆と同じようなものを好きにはなれなかった。自分らしく生きて、好きなものを好きと言う、それだけの生き方を貫くのも、ティーンの僕にとっては大きな問題だった。

このせいで差別されていると感じてきたものだ。大学卒業後、僕は小学生に英語を教える仕事がしたいと思って、母校であるカトリックのアサンプション学校を訪れた。ここを去ることになるまで三年間教えていたのだが、学校側は僕について知り、僕が男と同居していると突き止めるなり、追い出すのが最善だと判断したらしい。別に構わなかった。その頃すでに比較文学で修士を取る準備をしていたというのもある。何年もかけて取り組めたお陰で今、大学教授として働けているのだ。

初めてこの手の疎外や偏見を目の当たりにしたとき、それは幼いリコ・バンサリの姿をしていた。フランシスコ教会の堂役の一人だったリコは、高校三年生で遂に僕の同級生となった。僕は大いに落胆した。お陰でリコにとって僕はもう赤の他人ではなくなってしまった。この頃の彼は背も伸びて、いまだ若い身軽さを残しつつ、威圧感のあるがっしりした男になっていた。教室の木製の肘掛椅子に座っていると、あいつが「しゃぶらせてやろうか、アプリエルちゃん」と言ってきたことがある。

僕は勝算の有無を考え、まあ、無いなと結論して黙って首を振った。新しい友人たちへの良い冗談のつもりで愉しんでいるのかもしれない。こういう意味不明なのが、この年代のガキには一発芸として大いにウケるのだ。ガキだから、というので説明は十分。無論成長した僕の分析はこれとは異なる。リコとの軋轢を思い出すとき、あいつのこうした悪ふざけの根源は、単なる無粋な冗談に留まらない、もっと複雑で後ろ暗いものなんじゃないかと思えるようになってきた。

‡

堂役訓練の初授業が終わる頃には、僕はなるべく他の子と離れて、あの駐車場に座っていた。ほとんど皆バスケットボールで遊んでいるのをよそに、黙って叔母の迎えを待っていたのだ。そして皆帰ってしまい一人残された僕に、少し背の高い痩せ型の男の子が近づいてきて「遊ぼうよ」と言った。自身とてもシャイだった記憶があるのだが、この頃にはもう克服していたのだろう。見知らぬ少年の誘いを、僕は受け入れた。

少年はトーマスと名乗った。マ・ア地区のトリニダードに住んでいて、両親の迎えを待っているのだそうだ。屋根の上から地面に落ちる、光の模様を踏んで遊んだ。そのうちトーマスの両親が迎えに来た。遠くから車の音が聞こえてくると、トーマスは飛び跳ねるのを中断して振り向き、満面の笑みを浮かべる。僕は教会わきの車道を発進して、ゆっくりと離れていく送迎バスをちらと見やった。

「ママ、こっちこっち！」トーマスは言った。じゃあね、と手を振って、彼は僕を再び縁石に独りぼっちにした。そして翌週、僕らは再会した。堂役訓練の一環として、若い司祭が僕らにアダムとイブのお話を聞かせてくれる。少年たちはオルガンの傍らの席に集められた。僕が一番後ろの席に腰掛けると、トーマスがその隣に座って微笑んだ。訓練の後、他の子たちから離れたあの駐車場で、僕らはまた二人で遊んだ。

「どうして皆からあんなに離れて座ってたの」と彼は僕に言った。

「わかんない」

「一人が好きなの？」

僕は少し考えた。どういう意味で聞いたんだろう。

「僕はそうでもないけど、叔母さんは一人が好きみたい。トーマスはどうなのさ」

「一人がいいと思うこともあるよ」

ピコフラッグをやろうよと、トーマスは立ち上がって言った。知らない遊びだったのでやり方が分からなかったけど、聞いたら教えてくれた。駐車場の石から尖ったのを一つ選び、舗装されたところにガサガサの線で白い四角を描く。僕は石を投げ、先ほど作ったマスをケンケンで飛び継ぎ、片足立ちのまま石を拾う。マスの枠線を外を踏んだり、両足をついたりしたら負け。セメントの上に得点を描いて、僕らは交代で遊んだ。

「トーマスⅢ　アフィⅠ」

するとすぐに、他のヤツらも（リコも）この遊びに加わった。すっかり友達同士みたいに、僕らは交互に石を投げ、マス目をケンケンで飛び跳ねて午後の時間を過した。一人また一人とお迎えが来て去っていき、最後にまた僕とトーマスが残る。トーマスの母親がやっと迎えに来たとき、僕らはまだこの遊びを続けていた。キャサリンは長身で、厳しそうなお母さんだ。こちらに来るのに気がついていたら、僕はもう少し警戒していただろう。

新しいお友達をみとめると、この子はどちら様、とキャサリンはトーマスに尋ねた。「僕、アフィって言います」と僕は代わりに答えた。

「珍しいお名前ね」

「アフリエルの略だよ」

「そうなの、アフリエル。お父さんとお母さんはまだなの？」

「叔母さんが迎えに来てくれます」僕は答えた。「いっつも遅いけど、ちゃんと来るから大丈夫」

キャサリンは閑散とした辺りをざっと見渡した。そよ風が吹いて、男性職員が歩道に積もった葉を箒で掃いているのが見える。

「おばちゃんが送ってあげようか？　ぼうや、住所は言える？」

「僕ここで待ってるよ。居なかったら叔母さんが心配するから」僕は言った。

「電話はできる？　叔母さんの番号、教えてくれる？」

「わかんない。でも僕んち、遠くじゃないから大丈夫」

キャサリンはまた心配そうに周囲を見回した。本当に大丈夫かと僕に再三問い、僕が何度も大丈夫だよと言って断ると、遂に息子の手を引いて、キャサリンは去っていった。

叔母が迎えに来た頃には、空はピンクから群青色に美しく流れて、まるで絵画のようだった。黄色い太陽が遠くの雲に隠れていく。

「坊、遅くなってごめんね」レニ叔母さんはキャサリンとは違う。背丈も低くはないけれど、あんなに高くない。叔母は常に何か心配事があるような見た目で、不安と疲れがよく顔に現れていた。肩まで伸ばした黒髪の中には白髪がかなり目立っていたし、額には皺がうっすらと見える。この一週間は特に、仕事の同僚が肺炎で休んだ分をきりきり舞いで働いていたのだ。

帰り道、幅の広い道路にトラックが行き交い、砂埃が舞う横を二人並んで歩きながら、僕は叔母にキャサリンのことを話した。トーマスという新しい友人については先週話していたから、叔母は大変喜んで聞いてくれた。

一カ月間の堂役訓練を終えた後、僕とトーマスは毎週日曜日にフランシスコ教会の堂役を勤めるようになった。トーマスはサウス・ポイントというマ・アのプロテスタント学校に通い、僕はダウンタウンのアサンプションに通っていたが、僕らはずっと友達だった。

‡

礼拝の後、キャサリンとディザーおじさんが僕とレニ叔母さんのことをランチに誘ってくれたのだ。僕はほぼ毎回ご一緒していたが、叔母はそうもいかない。日曜日は叔母の休養日だから、一人で本を読んだり、ソファで考えに耽ったりしたいのだ。どんなことを考えているのか、僕には知る由もないけど。そのうち、キャサリンと叔母は同郷で、キダパワン市郊外にあるマキララというむらに育ったということが分かった。母親の故郷がどんな風だったか知りたくて、一度キャサリンに話を振ったことがある。

「叔母さんに聞いてみたらどう?」とキャサリンは言った。四人で席について、晩御飯を囲んでいたときだった(時々は晩御飯までご一緒させてもらっていた)。

「叔母さんはこの話、あんまり好きじゃないんだ」僕は言った。「多分お母さんのこと…叔母さんの妹だけど…怒ってるんだと思う。僕らを置いてっちゃったから」

「そっか。わかった」キャサリンは微笑んでそう言った。

あんまり笑わない人だと気づいたのはこのときだ。

こうしたお呼ばれは五年ほど続いた。僕が十四になった頃、キャサリンとディザーおじさんの間には明らかにわだかまりが生まれ始めていた。夕食や昼食の最中、嫌な緊張が走ったかと思うと、聞きたくない言葉の数々が空気中に充満する。ある日の昼食中、ディザーおじさんが急に出て行くと言って立ち上がった。キャサリンが皿の上に調理具を取り落とし、不協和音が鋭く響いた。

「折角の日曜日にこんなこと」とキャサリンは言った。ディザーおじさんは肩をすくめ、すぐに戻ると言った。僕がトーマスを見やると、トーマスも肩をすくめていた。

その後、あれは何だったのかと聞いたら、分からないよと言われてしまった。夜になると、時々怒鳴り声が聞こえてくるそうだ。都度キャサリンに大丈夫かと聞きに行っても、大したことない、ただの喧嘩だと言われる、そう言っていた。

‡

ある土曜の午後、サウスヴィラの僕の家に、小銭以外ほとんど手ぶらでトーマスがやってきた。レニ叔母さんは自室で眠っていた。

「よっ」錆びた鉄格子の合間から顔を出して出迎える。僕らはこのとき十五歳で、背も随分伸びていた。僕はトーマスよりものっぽだが痩せていて、彼はがっしりと肉づきが良かった。

「こんなとこまで何しに来たのよ」

トーマスは肩をすくめた。「自分はいっつも俺んちに来るだろ。俺は全然来たことないですけど」

「別に来ちゃダメなんて言ったことないだろ」

門を開いてトーマスを入れてやる。

家の裏庭でのんびり過ごした。小さな庭には緑の芝生と、レニ叔母さんの花畑と、隅っこの方には木が一本、奥の不躾なセメント壁を隠すように生えている。家の中から莫蓙（バニグ）を持ち出して芝生に広げた。

僕らはその上に寝転がり、各々ぼうっと考え事をしていた。木の枝が、風に揺れている。

「今気づいたわ」僕は木を見ながら言った。「お前、ここに来るの初めてだね」

トーマスは頷いた。

「なんでだろ」

「わかんない」

僕は寝返りをうち、空を見上げた。

「アフリエル?」

「何?」

「昨日、女の子にキスされた。学校終わった後、こっちに向かって走ってきて。俺の顔を口の方にぐって引っ張ったんだ」

「やば。なんでそんなこと」

「わかんない」トーマスは肩をすくめた。「別に仲良い子でもないし」

「で、どうだった?」

「わかんない」

仰向けで、今聞いたことを反芻しながら青い空を見上げていた。トーマスが女の子にキスされた。女の子がトーマスにキスした。雲がゆっくりと流れて行った。考えていたら、僕は急にすごく腹が立ってきた。

家の中から水の音が聞こえたので起き上がってみると、レニ叔母さんがキッチンのガラス戸の前に立っていた。こちらに気がついて手を振るので、僕とトーマスは手を振り返した。もう一度寝転び、また空を見上げる。

「キスしたことある?」しばらくして、そういう彼の声が降ってきた。

「ない」

「好きな子とかいないの」

「…お前とか？」

風が止み、雲が動きを止めた。なんてことない、ぶっきらぼうな平静さを装うのに全神経を集中していた。妙にこわばった身体を、僕は誤魔化せているだろうか。すると、広大な空の青を遮るように、目の前にトーマスの顔が現れた。日を背にして影になった顔。その黒髪がこちらに手を伸ばすように流れ落ちる。段々近づいて、唇が触れた。

僕が息を吐く間もなく、トーマスは離れていった。

また静寂が訪れた。雲が再び流れ出す。風が息を吹き返す。トーマスはやがて立ち上がり「もう帰らなきゃ」と「じゃ、明日。教会で」と残して去った。

その次の日曜、僕の隣には別の堂役少年の姿があった。トーマスはその先二週間も、顔を見せなかった。電話もくれないし…というのは我ながら期待しすぎた節もある。電話なんかしたことは、それまでにも一度もなかったから。だが聞きたいことが山ほどあった。なんで話してくれないのか。僕は何か悪いことをしてしまったのか。僕らはまだ友達、なのか。

その日曜、隣にいた別の少年とはリコのことだ。

「彼氏はどうした」

「あいつは彼氏じゃない」

「ふ〜ん」

ミサが終わった直後、更衣室での出来事だ。リコは時々こういうイジリ方をしてくる（リコ相手にその手のカムアウトをしたことはないのに、だ。そんなことする必要がないし、誰かに話したいと思ったこともなければ、告白や懺悔を強いられたこともない。ただ堂役で一緒になるだけの赤の他人に、逐一報告なんかしない。）。これについては特に深く考えていなかった。子供特有の、そういう残酷さだと言ってしまえばある程度は我慢できる。わざわざトーマスに伝えなくても良いだろう。

リコのイジリ、というかイジメはこの頃始まったばかりだった。普段よりも腹は立ったが、それ以上に怖いと思った。リコが、ではない。トーマスがだ。僕らのことをこんな風に思ってるヤツがいると知ったら、トーマスはどう思うんだろう。僕とは金輪際関わらないようになってしまうかもしれない。その日帰宅してから考えていた。僕は今後、全力でリコを避けようと思った。

‡

次の日曜日、祭壇の裏にある小部屋にトーマスが入ってきた。僕は聖具室係の装束で、襟元の銀の十字架を直しているところだった。トーマスがこちらを見て、僕はそっぽを向いた。また会えて嬉しかった。しかし同時に怒りも感じていた。

ミサの最中にも、祭壇の座椅子に座りながら僕は必死でトーマスを見ないようにしていた。終わって奥の部屋に着替えに行く少年たちの中、トーマスだけが聖歌隊の席について僕を待っていた。

「よ、アフィ」

僕はトーマスの背後の、教会の通路に流れる人混みを見やった。

「キャサリンおばさんは?」

「今日は来る気分じゃないって」

「また喧嘩?」

彼は答えず、首を横に振った。

「アフィ、俺バックレてごめん」

「その話はもうやめよう」僕は自分で言いながら驚いていた。急に怖くなったのだ。ここ二週間、さっきまであんなに話したかったことが、奇妙なことに怖くなった。

「いいの?」

僕は頷いた。トーマスは短く微笑んだ。

僕らはそこに突っ立っていた。トリニダードには戻れない。代わりにサウスヴィラに行かないかとトーマスが言う。それで僕らは黙って道の端を歩いて行った。

口を聞くのが怖かった。どうしてこんなにおっかないんだろう。よく分からない。教会でリコが近くに来たわけでもない。僕は道端の石で自分の頭をかち割りたいとさえ思った。

家に帰ると、レニ叔母さんが居間のソファで、のんびりと昼番組を見ていた。

「どうしたの今日は。あっちに行くんじゃなかったの？」叔母がそう聞くので、トーマスの両親が教会に来なかったのだと伝えた。叔母はどうしてと更に尋ね、トーマスが肩をすくめて「また喧嘩しちゃって」と言った。トーマスは僕にお前の部屋どこだっけ、と言いながら廊下の奥へずんずん歩き、レニ叔母さんはこちらに怪訝な顔をしてみせたので、僕は「喧嘩なんか僕知らなかった」と囁いてから彼を追いかけた。部屋に入ると、トーマスがベッドに寝て、両手を頭の後ろに回して天井を見上げていた。僕は学習机の椅子に座った。

「父さん、もう一週間も帰ってこない」彼は言った。「母さんも、俺には何も言わないけど、毎晩泣いてるのが聞こえる」

「そうか」以外の言葉が見つからない。

「お前が羨ましいよ、アフィ」トーマスは続けた。「お前と叔母さん。そういう家なら、両親の喧嘩とは無縁だもんな」

「おい、こっちは両方死んでるんだぞ」僕は言った。「両親が死ぬのとどっちがマシだよ」

「そういう意味じゃないよ」トーマスは起き上がった。「お前と叔母さんと二人だろ。俺みたいに、壊れかかってる家族を心配なんかしないだろ。〝家族〟がいないんだから」

「おい」僕は言った。「叔母さんと僕は〝家族〟だよ」

「親の居ない〝家族〟とか、無理あるだろ。アフィ」

怒ってやりたかった。言ってやりたかった。僕と叔母さんは、お前のとこの家族なんかより、よっぽど家族らしいだろうと。だけど僕は口をつぐんだ。トーマスはまた横になり、天井を見つめていた。

「今、何、考えてんの」そう聞かれた。

首を横に振り、ベッドを支える小さな木製の脚を見つめて僕は「何も」と返した。

再び会った頃には、もう色々なことが変わってしまった。特に変わったのがトーマスだ。彼の纏う空気には、怒りと悲しみの気配がいっそう増していた。キャサリンおばさんは教会に来るのを完全にやめた。トーマスだけが、たった一人でミサの手伝いに来ていた。この日に会ってからというもの、トーマスは平日だろうと構わず、ほぼ毎晩のように僕んちに来た。レニ叔母さんが言うには、ミサで会うトーマスのご近所さんが話している内容を聞く限り、ディザーおじさんは本当に出て行ってしまったらしい。そもそも別の家庭があるだとか、もう愛人を作ったとかいう噂が立っていた。誰もがもう、ディザーは二度と戻らないと確信しているようだった。

‡

ある金曜の夜、いつものようにトーマスが僕の部屋に泊まりに来たのだが、この日、彼は二本のビールを手にしていた。僕らはかわるがわる、それを飲んでみた。

「何か感じるか?」お互いに何度もそう聞いた。映画や本でよく見るような、魔法みたいな感覚はついぞ訪れない。ただ耳まで熱くなり、指先がピリピリするだけだった。

一本目の瓶を飲み終えたので、僕はこれをくるくるとスピンさせてみた。何度も何度も、自分たちのわけの分からない大笑いに気がつくまで、何度も回した。トーマスが、僕を見つめて微笑んでいる。

「アフリエル」

「トーマス」

僕らはなぜか大笑いしていた。ほとぼり冷めて気がついたら二人でベッドに寝ていて「トーマス、もし僕がお前に告ったらどうする」なんて聞いていた。

「わかんない」トーマスは一瞬顔をしかめると、僕に向き合いにやりと笑った。「なんで？　俺のこと好きなの？」

僕は答えず、シーツに顔をうずめた。

「僕にキスしたの、あれ、なんで」僕はシーツの中からもごもごと尋ねた。

横で彼は動かずに、黙っていた。それから「わかんない」ぼそりと呟く声が聞こえた。

お互い何も言えずにいるうち、僕らは眠りに落ちていた。次の朝、目を覚ましたらトーマスは居なくなっていた。腹の奥の方で、ひどく嫌な予感がした。あんなこと聞くんじゃなかった。どう答えてくるか、想像もしていなかった。彼が消えてしまってから、昨日の質問をずっと怖がっていた自分自身がようやく理解できた。恐れていたのは、トーマスがキスの記憶を葬り去りたいと思ってるんじゃないかってことだ。彼に突き放され、拒絶されてしまうことだったのだ。

次の日、トーマスは家に来なかった。その次の日曜日にも、予想はしていたけど、やはり教会にも来なかった。学校帰りにも、更に次の週末にも、彼は姿を見せなかった。トーマスの不在が僕の心をめちゃめちゃに掻き乱す。僕は取り残され、孤独で、恥と自責の念でいっぱいだった。それをどうにか伝えられないかと切望していた。

それで数日後、トリニダードのトーマスの家に出向いたのだ。あの建物を見ると、出会ったばかりの頃の、怒りと悲しみに満ちる前の彼の面影を思い出す。しかし家はもぬけの殻だった。そこには誰が住んでいる気配もない、虚ろな空間が広がっていた。

‡

キャサリンおばさんとトーマスは、マキララにあるキャサリンの実家へと去ったそうだ。聖具室係の連中が、後で教えてくれた。
人はどうして、なんの予告もなく立ち去ってしまえるのだろう。僕の父もそうだった。ディザーおじさんもそうだった。トーマスも。男って、そういうものだろうか。
高校三年を終えた。トーマスが居なくなった後も、僕は聖具室係をやめなかった。

‡

大学に入ってほんの数カ月後のこと、叔母が脳腫瘍の診断を受けた。それから僕は毎晩のように、叔母さんが良くなりますようにと祈った。置いて行かれたくない僕の恐怖があまりにも強かったのか、ある晩それを感じ取ったらしい叔母が、友達はできたかと聞いてきた。嘘を吐いて当然さと答えると、それも見透かされてしまったようで、叔母は私の財布を持っておいでと僕に言いつけた。「ほら」叔母さんは言った。僕らは居間のソファに座っていた。「食べ物を買って、友達を呼んでおいで。トーマスとそうやって毎晩のように遊んだことがあったろう」

その名を聞くと何かがきゅっと僕の胸を締めつける。僕は叔母と目を合わせないよう、下を向いていた。

「戻ってくるだなんて、言えたらどんなに良いか。そう思うでしょう」レニ叔母さんは溜息を吐いた。「そうでないと坊は私が居なくなったら独りぼっちでどうしようもないからね、死んでも死に切れんわ」

僕はおかしくて泣きながら、余計なお世話だよと叔母の肩をグーでちょっと押した。叔母は大いに笑って僕を抱きしめた。いや、独りぼっちじゃどうしようもないから、分かってるならどこにも行かないで。僕は泣きながらそう頼んだ。

‡

ブローケンシャーに見舞いに訪れた三日後、叔母は亡くなった。葬儀の日、叔母の顔を彩った死に化粧は、しかし、深く刻まれた皺を隠すほどの厚化粧ではなかった。まだ僕が幼かった頃、のんびりした日曜日に居間で居眠りしている、あのレニ叔母さんの顔だった。

　大学を卒業して一年後のとある日曜、トーマスと再会した。よりにもよってフランシスコ教会で、だ。他の堂役たちと同じように、僕は久しくここを訪れていなかった。驚いた顔をしたトーマスは、以前より背が高くなっていて、ウェーブのかかった黒髪を綺麗に切りそろえていた。教会を出て行く直前に彼を見たのだ。なんでこんなに見覚えがあるのだろうとしばらく思案して、ようやくトーマスのことを思い出したとき、僕は思わず笑顔になった。

　彼の方も気持ちの良い笑顔で返して、手を振ってくれた。僕は動かなかった。それからしばしの間、トーマスは何か伝えようとしているかのような、何か切ない期待で満ちたような目で僕を見ていた。しかしやがて、唇を結んで心を決めたような表情になると、彼はもう一度微笑んだ。そして永遠に去っていった。

　恋人のダニエルと出会ったのは数年後のことだ。何か間違えたような感覚で、子供時代を思い返している。見当はずれの期待ばかりした。全部現実になってほしかった。僕はどんなに奇跡を求めていただろう。あの願いの痛切さを未だに覚えている。その痛みや悲しみが、永遠に続くように思えたこともある。

　けど、そうじゃない。痛みも、悲しみも、きっと薄れて、目にするまで思い出しもしない古傷になる。今の今まで存在すら忘れていた、遠く昔の友になる。

★　キダパワン▼ミンナダオ島の南部。アポ山のふもとに位置する地域。

★★　ブロケンシャー▼ミンダナオ島ダバオの沿海部。

★★★　マ・ア地区▼ダバオ・デル・スル州にある都市のはずれ。

スノードームの製図技師

デズモンド・コン・ゼチェン－ミンジ

「じゃあ、これは明日私が死ぬのを引き留める会ってことで良いわけね」

それは正確な表現でした。ローレン・クンテア・モールはセラピストと、元恋人と話し合いました。こんな会合そのものが、普通でも適切でもなかったのですが、こうでもしなければローレンは口を聞かないのです。ローレンは、認知療法は信じていませんでした。他にも、物語療法だとか「リラックスして無の境地に至り……」などといちいち注文を付けてくる療法も苦手です。こうした治療法は、無力感や依代（よりしろ）のなさを、癒すどころか悪化させる感じがしますから。けれど、それも思い込みに囚われているだけかも知れない、永久にその壁の内に囚われていなくて良いのかも知れない、と、そう思えたのはソフィーのおかげです。

仏教僧は国境近くのプレアヴィヒア州からはるばるやってきました。生まれてこの方五十年間をラサで過ごし、上座仏教でなくチベット仏教の修行を受けてきました。キリスト教司祭の方は、英国中部の訛りが強いところとその祭服を見るに、英国国教会からローマカトリック辺りの出身だったでしょうか。ローレンにははっきりとは分かりませんでした。バプテストか、もしかすると聖公会かも知れません。司祭の笑顔はまるで、孫に笑いかけるおじいちゃんのような優しさがあるとローレンは思いました。司祭はお説教を面白くするために、ウェールズ語や少しのケルト語を、多彩に、巧みに織り交ぜて話しました。

女性がふたりと神聖な男性がふたり。大きなテーブルクロスのかかった正方形のテーブルの周りにきちんと座っていました。いまにもボードゲームか何かが始まりそうな雰囲気だな、とローレンは笑いを堪えました。

「催眠術なんかなくても自白するよ。私は子供たちを殺した。親の胸に風穴開けたのも、私」

「どうしてそんなことを?」司祭は静かに彼女を見ます。

「命令だったから」ローレンは淡々と答えました。

「その命令についてはどう考えていたのです？」

「まだ十一歳だった。良し悪しなんか分らなかったよ」

「ローレン……ではどんな気持ちでしたか？」司祭は再び尋ねました。深く、物憂げで落ち着いた声でした。

「言われたからやっただけ。そうするしかなかったもの。先ずパランとか鎌とかの訓練を受けて、銃が持てるようになるまで十分成長したら、命令に従うの。質問が歓迎されるようなところじゃなかった。こういうやり取り自体……こうやって私が喋るのとかね、あそこじゃ許されなかった。話し合いもダメだった。だからね、爺さんたち。どういうつもりか知らないけど、こんなの意味ないんだよ。私、もう決めたの。祝福とかなんとか、やることやってくれたらお金は払うけど。今夜は早上がりで帰ってよ。泊まりたいなら泊まる部屋は用意するし、明日の朝発ってくれるんでも、なんでも、別にいいけど」

「そうお決めになったので」と僧侶が割って入ります。彼は目の前に巻貝を持っていました。その中心に見事な真珠がはめ込まれています。中には非常に貴重な朱色の粉が入っているのでした。僧侶は人差し指を朱い粉に入れると、左手の甲にそれを点々と描きました。「どうしても心変わりしませんかな？」

「うん」とローレンは言い、射るような視線を彼に向けました。「もう決めたから」

もうこの世界には、自分が取り付く島など残されていないように思われるのです。歴史は暗く、血に塗れ過ぎていました。過去の暴力で薄汚れ、来る日も来る日も望まれぬ思想や物語が生まれ、また一様に不埒で不要だと批難されていきます。通りの誰もが一部始終を見ながら、互いに監視し合っているようでした。「監視する」というのまでが織り込み済みの台本でもあるかのように、監視し合いながら次の物語の一部始終を待つのです。人生の午前は、子細に組まれた行軍予定と石で出来た寝床。解放された午後の日々は、日中は無気力に襲われ、夜はオペラの終曲さながらに、十時の夕食の後は静かに眠るのでした。

‡

ソフィーの家はここことは別に、通りをふたつ跨いだところにあります。ですがこの家にも、ソフィーの部屋はとっておいてありました。ローレンの様子を見に、月に一度泊まりにくるためです。今夜はジャワのコーヒーを、ローレンにも一杯入れてあげました。隠し味は小さじ一杯のココアとコンデンスミルク。ローレンのちいさな子供時代を思い出させる甘さです。飲んでもその目は冴えず、かといって夢を見るわけでもありません。コーヒーはただ、落ち着きを与え、沈むように安定する意識を支えるもの。意識を水に例えるなら、それはコップのようなもの。風に乗るジャカランダの種のような安らかな平衡。それは慣れ親しんだ恒久の均衡でした。心を安らかにしたいのなら、興奮も動揺も少ない方が良いはずですから、ウイスキーでなくコーヒーなのです。ローレンはお酒のような強い刺激は断っていました。同じ理由で、故郷に帰ったり親戚に会おうとすることもありませんでした。写真にも見たことがないような、顔も知らない遠い親戚にさえも。

「子供たちの、その後は」と僧侶は尋ねました。ソフィーは、まっすぐ虚空を見つめたかと思うと椅子から立ち上がり、夕食を準備すると言って出て行きました。

「私がやったのはその一回だけ。一回で限界なんだって奴らは分かってたから。大家族だったよ。教育を受けてますって叫んでるようなもんだった。町にある青い校舎の横に住んでて、全員眼鏡だったもん。本を読んでる証拠だろ。だから賢いだろうってわけ。赤ちゃんもいて、泣いてた。奴ら、それがうるさいから静かになるまで毛布で窒息させろって私に言うの。その赤ちゃんをチャンキリの木に打ち付けてさ。下に掘った穴に、落とすんだ」

僧侶も司祭も黙っていました。

「言葉にしてみると酷いな。しなくても酷いか。でも本当にあったことだよ。なきゃよかったのにと思うけど」

「続けて。他には何がありました」

「赤ちゃんの母親は狂ったみたいになったよ。泣いて、叫んでた。あんな酷いのは見たことなかった。私はああしなきゃならないって教わったし、なんなら、そのうち義務感だけじゃなくて、偉大なことを成し遂げた喜びを感じるようになるって聞いてた。でも、あんなことまでして取り戻そうと頑張ってたのに、結局手に入れたのは喜びじゃなかった。当時の私にもそれは分かってたよ」ローレンは足元の石を蹴りました。「いろんなことが起きたし、全部にいろんな目的があった。でも喜び目的だったことはないな。喜び目的ってのは、〝トンレサップ湖で泳いで遊びたい〟だとか、そういうのでしょ」

七〇年代の悲劇を、皆が忘れようとしていました。人類学者や歴史家、ソーシャルワーカーとともに、この世代は姿を消し、永遠に失われようとしていました。しかし当時の建物だけは、その惨劇を風化させはしません。弾痕だらけのレンガ造りの家の黄色のペンキは、決して塗り直されませんでした。高い壁の上のコンクリート板は、石に打ち込まれた金属製の杭で支えられています。弾痕の壁のひとつが家の内側にきて、かつての防壁は今やただの家と庭との境界線になりました。柔らかい芝生がその足下で途切れ、壁は領土を縁取っています。この壁には、大小のメッセージが描かれておりました。行方不明者の名前が書き連ねてありました。残された家族が記したものです。家主が壁を塗り替えようと思ったことは一度もありませんでした。構わないのです。誰に見えるわけでもなく、家の内側にあるだけなのですから。

「ここは私の生まれた国じゃなくなってしまった」とソフィーはよく言います。ロマンティックな性格の彼女は、首都プノンペンよりもシェムリアップ市の方がずっと我が家らしく感じるのだと言います。ソフィーはローレンより十五も歳上でした。あまり口数の多い方ではなく、沢山喋るような情熱も持ち合わせていません。しかし、そんな彼女が話をするときには、その一言一言はもの知らぬ観光客にさえ聡明に、格言めいて聞こえるのでした。それは心に刺さるような、歴史の解剖の魔法です。ソフィーはこれを秘密にしており、決して表立たせるようなことをしませんでした。

「ローレンと初めて出会ったのは、カナダのノバスコシア★にある小さな教会だった。その日の遅くに友達と何人かで食べ歩きに出かけていたの。ローレン、あなた私の後ろに座ったって言ってたよね、カンポン・チャムで。覚えてる？　フランス人のカップルがいて、本当に可愛かった。数学教師っぽい人もいて、教育カリキュラムについて愚痴ってたっけ。ノバスコシア州の誰もクメールなんか知らないの。どこにあるかも知らない。この国の人たちが、自分の善行と悪行を足し引き計算しながらビクビク生きていくのも知らない。ナットとボルトみたいに、外れたら落ちちゃう人生を恐れているのも」

「あそこはちょっとした天国だったね」とローレンも認めました。「よくある夢の世界に足を踏み入れたみたいだった。パンポル・ライスを食べるときみたいに、愉しいことは全部かっ込んだよ。パンポル・ライス、ソフィー、覚えてる？」ローレンはテーブルに指で小さなハートを描き、その手を胸の前で握ると、ソフィーに投げキスをしました。

ふたりの女性は大声で笑いました。

「あんたたちも、エルサレムのアーティチョーク、気に入ったと思う」ローレンは続けて、笑顔の僧侶と司祭に手を振りました。「ジョージアには野生のが生えてるんだって誰かに聞いたな。なんでも、サミュエル・シャンプランが、ケープコッドのインディアンの小さな庭で見つけたんだって。すごい大昔にね。多分ほんとうだと思うんだ。たぶん。歴史なんか誰にも分かんないよね？　何信じりゃいい？」

「私たち、色んな所に住んだの」とソフィーは言いました。

「全部を我が家と呼んできた。ノバスコシアには感動したけど、長居はしなかった。友達がサンディエゴに連れて行ってくれて、それからウィニペグにも行った、カナダはそれで全部。インドのベンガロールはにぎやかな大都市だった。そこで織工の女の子と仲良くなったの。その後シンガポールに行って、ショッピングモールで食品のアウトレットをやってみた。テナント代が払えなくなってすぐ閉めちゃったけどね。ボストンもロングアイランドも家賃が高すぎて三カ月と続かなかった。ペナンのビーチリゾートのときは楽しかったな。ローレンがパートタイムの家政婦をして、依頼主さんの家との往復生活がいい感じだった」

「ソフィーはオーストラリアのパースがお気に入り」とローレンは言いました。「家が郊外にあったの。前にも郊外に住んでたことはあったけどね。そのときは遠い親戚の人とイギリスのブリストルでご一緒したの。でもパースの家は、私らふたりにしたら宮殿並みの大きさだった。そこに住んでたとき、ソフィーが診療医に復帰して、移民コミュニティのカウンセリングを始めた。パースは我が家って呼んでもいい感じだったな。ここに戻る前に二年くらい居たんだ。でも一カ所に二年以上居たことないね。シェムリアップの面影ばっかり探しちゃって」

「我が家って言葉、いつも手の届かないところにある感じがする」とソフィーは言いました。「遠すぎるの」

ソフィーは物思いにふけり、靴箱からいくつかの写真を取り出して男たちに見せました。

写真に写った寺院を見ると、昔のことを思い出します。この石造の図書館の階段に座っていた、アプサラのダンサーと修道士。寺院の堀、尖った屋根、迷路のような廊下。三方向に引っ張られて、伸びた守り神のお顔。伸びきった芝。そんな景色を見ながらソフィーは考えていました。過去を誇りに思おうか、悔いて涙にくれようか。それとも忘れてしまおうか。カボチャとタロイモのプディングが並ぶ市場で、観光客や地元住民の前で、ソフィーはずっと考えていました。

ローレンは甘いもの好きで、特にピーナッツバターが好物でした。ノバスコシアで初めてスマッカー・グーバー・グレープを買って、そのグレープジャムとピーナッツバターのハーモニーを味わってからというもの、ローレンはピーナッツバターを半年ごとに、瓶十六本分も注文していました。卸売業者に直接買い付けるのです。プレーン・スキッピー・ピーナッツバター。あんまりなめらかでバターのような口当たりだったので、ラズベリーの層を作ろうとジャムを挟みました。

空が突如やわらかくくずれ、くすんだ青色が重たく濁りました。不気味ながらも落ち着くような、涼しく自由な心地です。あの日、手押し車を引いたクメールの老人が、石の橋からトンレサップに落ちました。波にまるごと飲まれるように、音も立てずに落ちてゆきました。そうして許可は下りました。胸の前で腕を組み、目を閉じて、たった一度最後の空気を吸い込むように、老人は無意識にあえぎました。

‡

飾ってあるスノードームは、ローレンの良き友人からの贈り物です。この友人は元は恋人でした。スノードームは、チーク材のタンスの上に置いてありました。質入れせずに残っていた宝石類がお隣さんでしたが、輝く宝石にも、煌めく金属にも、スノードームの輝きを隠すことなどできません。

この大きなバルト海琥珀だけは例外かも知れませんね。これは植物や昆虫の歴史を包んで、綺麗に結晶化しておりました。スノードームの足元には、電池に巻き付けた小さなメモがありました。メモには挿絵がしてあり、フランス語の丁寧な文字で何かの手順が書かれてました。巻いて包まれていた牡丹の花びらが二片、乾燥してバラバラにくだけていました。

ローレンは、スノードームの中の男を、父と同じ製図技師だと思うことにしていました。ごつごつした肘掛けの大きな椅子に座り、大きな紙を持っているからです。椅子は青く重厚に見えました。戦乱の防壁のように、板が何枚も重なって出来ているようです。海の波のようでもありました。その横には電気スタンドと、背丈の低い花が三本ありました。男の作業台は小机の上に乗っており、横には大理石の胸像のようなものも乗っています。実に緻密な作りのスノードームでした。製図技師の赤毛頭は、軍人のように剃り上げられ、古い革製のブーツの靴紐も、固く結ばれているようです。右手につけた腕時計の時間までは、残念ながら見えません。鼻の上に橋渡した眼鏡がきらりと光っています。口が半分開いた表情は、何か大切なことを言いかけていたかのようです。それとも、紙に描かれた何かに驚いていただけでしょうか。いえきっと、もしかしたら、ただ息をしていただけかも知れません。

(何か読んでいるのかな。それとも、他の誰にも見えない何かが見えているのかな)

ローレンはずっと疑問に思ってきました。紙に描いてあるのは、風景画なのだろうか。青写真だろうか。はたまた、設計図のようなものだろうか。ぶ厚い上着のポケットに、別の紙や、次のページが入っているかも知れない。こんな大きな図面だから、大きな仕事に使われるはずだったのだろうな。

スノードームを揺らせば、中の天気が変わります。製図技師の紙の上のほこりは晴れ、床を覆うように落ちていきます。

引き出しが半分開いているのは何故だろう。オルゴールのバレリーナが靴を履いていないのは何故だろう。杜松の木を覆っている濃い赤色は、これは一体なんだろう。製図技師は、水中で何をしているのだろう。

ローレンがスノードームを手渡すと、司祭はそれを覗き込みました。僧侶が彼のそばに寄ろうと立ち上がり、同じように覗き込みます。

「ご存知でしょうが」と司祭は見上げ、「アヒトフェルは自殺したのです。アビメレクもサウルもそうしましたが、こちらはふたりとも非常に立派な者で、剣で命を絶ったのです。とても古風で伝統的でしょう。対して、アヒトフェルは首吊り自殺でした。これはもちろん、イスカリオテのユダの死に様と重なりますね」

「知らない。アヒトフェルって誰？　アビメレクって？」とローレンは尋ねました。

「とても昔の人々です。彼らの偉大な功績は、私には知る縁もないのです」

「そう」ローレンは突然、悲しそうに俯きました。

「ここに来た目的を、果たせそうになくて申し訳ない」と司祭は言いました。彼は手に数珠と、三角形のビーズの付いた英国国教会のロザリオを持っていました。「あなたのしようとすることは、善からぬ行いではないでしょうか。あなたにとって。いや、他の誰にとってもです」

ソフィーはローレンの左手の上に自身の右手を重ね、指を絡めて穏やかに握り込みました。

「私を言いくるめようとしてる？」ローレンは司祭から目をそらしました。「辞めてくれたら倍額出すけど」

「いいえ」

司祭はページを開いて、ローレンに旧約聖書の一節を見せようとしました。自分自身を許す大切さについてのお説教が良いだろうと考えて、おそらく、贖罪のお話を選んだのでしょう。しかしローレンは別のことに気を取られていました。その手はマントルピースの上に置かれています。マントルピースの中央には、カラヴァッジョの『聖トマスの懐疑』の複製画が描かれていました。ローレンはその絵画に見入っていたのです。暗く広がる瞳孔や、衣服のたわみや曲線に反射する鈍い土気色の光、そして大きな手。ソフィーは、傷の上に置かれた指にようやく気が付きました。傷そのものが目であるかようにパッと開いたのです。

この絵は、二冊の本の表紙を飾るものでした。グレン・モストの『懐疑する聖トマス』は、元の絵を小さく印刷したものです。元よりもくっきりとした色合いに印刷されています。ぼこぼこした油絵を平面にしてしまっても、絵画は依然輝いていました。より明るい色遣いのおかげで、より差し迫った感じさえあります。もう一方の本はぼろぼろの詩のコレクションで、ジョシュア・クリヤの『グリーン』というものです。この表紙のカラヴァッジョは全く異なる様相をしていました。元の絵画に、現代のアーティストが波線を書き足したもので、まるで楽譜の中に飲まれているような雰囲気でした。音が頭の奥へと入り込むようで、息がつまるような感じです。グレン・モストの本は文化と歴史をそのまま受け継いだようでしたが、ジョシュア・クリヤの本はまるで、穀物を鎌と手でいっぱいに集めて、雲ひとつない空にばらまいたよう。そんな、新芸術の体現なのでした。

‡

司祭は聖書をそっと閉じ、革の表紙を指でとんとんと叩いてローレンの目をまっすぐに見ました。

「詩人ヤロスラフ・サイフェルトのとある詩のお話をしましょう。ここに女の子が出てくるのですが、女の子は自分自身にアーメン、と言うんです。他の誰でもなく、自分だけのためにそう言っている、という印象を受けますね。少女のうす茶色の髪の毛が、額から祈禱台（プリエデュー）に落ちかかっています」

ローレンはちゃんと聞いているだろうかと、司祭は一旦顔を上げました。

「それから？」

「セリフを正確に覚えているわけではないのですが、こんな風だったように思います。〝今まさに解かった　その神聖なる瞬間　女たちは啓示も待たず為したのだ〟」

「それから？」長い沈黙の後、ローレンはまた尋ねました。

「申し上げました通り、すべてを思い出すことができないのです。でもきっとこの詩がお好きだろうと思いますよ。来週になりますが、本を持って来てお見せしましょうか」

永遠の時間と比べたら、一週間なんて、小さなお飾りでした。いち人生を掬い上げるにはとても足りない。大胆さも率直さもない。つまり、人間らしくて、等身大で、ローレンが好きな感じの説得法です。彼女は新しいかみそりを一番上の引き出しから取り出し、指の関節のすぐ横の皮膚にあてがいました。彼女は指の毛をそり落とし、黄ばんだ皮膚のまだ綺麗なところをみようとしました。静脈ははっきりと青白く、何も恐れない色をしています。それでも世界は、ローレンを呼び止めはしなかったのでした。

ローレンは右の親指でおでこを引っかき、五本の指を髪の毛全体に広げて滑らせました。左まわりに、頭の周りに円を描くように。他のクメール人女性は、ローレンがあまりにも男っぽく、一家の大黒柱と言えばしっくりくるけれども、もう四十も半ばの中年の女らしくはないと思っています。クメールの女性は「逆境にあっても上品でいなければならない」というのがお約束でした。だから、どんなに苦境でもシフォン生地の柔らかいブラウスや、膝下でふわりと広がるペンシルスカートを着るのです。ハイヒールではなく、フラットシューズを好んで履きました。貧しい女性たちは財布を買う余裕がなく、スカートの隠しポケットにお金を折りたたんで持っていました。あらゆる言葉をはっきりと正しく発音しなければならないとでも言うように、きちんと決まった話し方をする女性たちでした。こうした女性たちが、あのコンクリートの壁の上で足を組み、右手で水筒を持ち、左手で緑豆プリンを味見しながら休んだものでした。

「ポル・ポトには？　当の悪魔本人には会ったのですかな？」

こう疑わしげに尋ねたのは僧侶でした。

「うん。一度私のいたキャンプに来たことがあったよ。暑い日だった。大きな籐の椅子に座って、演説の順番を待ってたのを見た。横に立ってる男の人に新聞であおいでもらってた。演説自体はすごく短かったな……何か、使命と責任の話と、己を超越し、世界を目指せ、とか。自愛しなさい、とか。その日は村には肉もなかったし、野菜だってひもじかったけど、あの人は全然平気そうだった」

「人間のふりはできたようだ」僧侶がまた面白い言い回しを披露します。

「亡くなる何年も前に、あれがニュースのインタビューを受けましたな」僧侶は続けました。「あやつは自分が正しい行いをしたと信じているようだった。間違いなど何もないと。人を殺めたことなどないとも言いましたな。〟俺は良心をきちんと持って生きてきたのに、そんな狂暴な男に見えるのか〟と、ジャーナリストに尋ねさえしたのです」

「『ニュルンベルク・インタビュー』と全く同じ」とソフィーはため息をつきました。

「そういうタイトルの本なんだけど。ナチス・ドイツの役人三十三人に、精神科医がインタビューしたことを書いてあるの。その中で、ハーマン・ゲーリングって恥知らずがね、ホロコーストは騎士道精神に反するだとか、自分は色んな才能と素質のある男だとかなんだとか言ってた。それから、子供を殺すのは〟スポーツマンシップに反する〟んだって」

「まったく酷い」司祭は、僧侶とローレンを見やりながら言いました。

「酷いよね」とソフィーが返します。「別のアウシュビッツ司令官に、ルドルフ・ヘスっていう男がいるの。自分のやった恐ろしいことを、何も感じないような男。何がいけなかったのか何も分かってないの。それはね、誰も直接殺したことがないからなんだって」

「倍ほど酷い」と司祭は言いました。「胸が悪くなります」

「インタビューをした精神科医はね、レオン・ゴールデンソンっていうの」ソフィーは大声で言いました、きちんと覚えていたのが嬉しかったのです。「それが名前。こんな酷いインタビューを直接聞かなきゃいけなかった、精神科医の名前」

「皆信じてたの?」ローレンは、僧侶の方に身を乗り出して尋ねました。

「あんたなら、ポル・ポトを信じた?」

「私がどうかではなく、あなたがどうだったか、なのです。ポル・ポトに何を感じてきましたか。信じる心はありましたかな?」

「感じるのは怒りだけ。でも時々、なんにもなくなるの。何もない、音もない部屋にいるみたいに、何を聞かれても分からない、ちゃんと考えられないの。罪悪感だけは感じるけど。あんたがこの感覚を知っててくれたら、話が早くて助かるんだけどね。とにかく、三十年以上経っても、今後何年経っても、この感じが薄れたりはしない。歴史は消えないの。だから歴史から私を消した方がいい」

‡

「豊かな感情とは、尊いものです。怒りも、罪悪感も、喜びも、感謝も。真逆の感情が同時に起こったなら、受け止めるのは大変でしょう。無関心でいるよりも余程ご立派です。無関心というのは魂を少しずつすり減らすものなのです。仏教律（ビナヤ）では、これは殺しと同じ、特に自分を殺すのと同じだと言いましてな。無関心の原因は、妄信や依存なのだという教えがあるのです。しかし何より憎しみですな。憎しみは魂を殺すものだ」

「あんたも私を言いくるめようとしてる。司祭の爺さんと同じなの？」ローレンはずけずけと言いました。何事も、最悪の事態を想定しておくというのが彼女の趣味でした。次のデザートが最後の晩餐になる。ココナッツカスタードか、焼きフリッターでもいい。どっちにしろ、ほろ苦いさようならになる。

ガジュマルの木が、角の建物にその巨大な根を張っていました。町の広場で、金属板の屋根がその自重で崩れていました。

「そんな真似は致しませんよ。その点、同意してくださると思いますがな」と僧侶は言いました。

「買い被り過ぎ」とローレンは柔らかく返します。

「ご自分を見くびり過ぎている」と僧侶は言いました。「もう少しご自分を信じては」

「そう、ほんの少し、マスタード一粒ぽっちの信心で良い」と司祭が付け加えます。タンスにスノードームを戻しました。「マスタード一粒。それだけあれば、いずれ山さえ動かせるのです」

「その詩、知ってる」とローレンはつぶやきました。

「マタイの福音書、十七章二十節です」司祭は勇んで続けました。「マスタードの粒は、ルカの福音書にも登場しますよ。ルカの十三章、十八と十九節。その粒は成長して木になり、鳥が来て我が家となすのです」

「おや、左様で」僧侶はちらりと顔をあげ、驚いた様子を見せました。

「それは興味深い。素敵な物語です。マスタードの粒と言えば、チベットの儀式では、嵐が来るのを防ぐまじないに使うものです。白マスタードと黒マスタードの二種類でいたしますな。伝承にも、ヴァジュラパニが仏様にマスタードの粒を贈ったとありますから」

「おべんちゃら」とローレンは言いました。「単に御託を並べてるだけだよね。教訓は何？　〝悪いことをするのはいいことだ〟とか？」

「ローレンは自分のこと、ただのプトゥシャナだと思ってるの」とソフィーが言いました。「崇高な道に至らないような普通の人のこと。ローレンはね、過去の過ちを考えたら、自分はプトゥシャナより酷いはずだと思ってるの。どんな聖書を読んでもピンと来ないんだって。皆が納得してるのに、自分だけ教訓を読み解けないのはそのせいなんだって」「なるほど」と僧侶は振り返り、司祭を見つめました。

「聖書を引用する他に、私にできることがあったら良かったのですが……」と司祭は言いました。

「が、何?」ソフィーが口を挟みます。司祭が両手を心臓の前に置き、手の平をこちらに向けて詫びるような仕草をするのを、ローレンは見上げました。

「ですが、私は、ローレンさんのしたことは劣悪で非情な残虐行為だったと思います。このように率直に申し上げるのは大変心苦しいですが。ルカやマタイの説話をあげたり、詩やことわざの引用をする他に……私は無力なのです」彼の肘がローレンのコーヒーカップをひっくり返しました。幸い、コーヒーはあまり残ってはいませんでした。

「ローレンは自分のこと、プトゥシャナだと思ってるの」とソフィーは席から立ち上がり、テーブルクロスの縁でこぼれたコーヒーをふき取りました。「その手の含蓄がどうとか、安寧がどうとかは、分からないと思ってるの」

「あなたのような阿羅漢(アラハット)にはなれないんだよ、僧侶さま」ローレンはなるべく誠実に、正直な声で言いました。「司祭のお爺さん、あなたのように祝福されているわけでもない。ほんとうの我が家というものを、見たことがないからね。輪廻も業も終わらせられない。地獄は怖くない。地獄みたいな場所に住んでたから。これまで生きてきて、涅槃の境地なんて味わったこともない。誰かに奉仕をしたこともないし、そばで見た悪行を、消そうとしたこともない」

「なるほど」と僧侶は言いました。

「綺麗に死ねるはずないんだ」ローレンは考えるのをやめようと一気にまくし立てました。「死んでも永遠の眠りに落ちたりできない。地獄も、煉獄もないし、天国なんておこがましい。きっと全部終わる最後の場所に着いたら、至福が始まるんだと思う。それでやっと、時間も空間も苦しみも越えた涅槃が来る」

「ええ、ええ。なるほど」と僧侶は言いました。巻貝の殻を傾け、テーブルの三分の一に朱をまくと、彼は指で朱い粉をひいて花と渦を描き、曼荼羅を作り始めました。「どうすれば良いかいつでもお伝えできたのだ。順序をお教えしましょう。我々をここに呼んだのも、そのためでしたな。続けて宜しいですかな？」

「お願いします」とローレンは言いました。

「ある女性についての法句経の話があります」と僧侶は言いました。「キサゴータ―ミーという名の女性です。息子を亡くした彼女は、その死体を抱え、生き返りの薬を求めて家から家へと訪ね歩きました」

「良い選択だ」と司祭はうなずいて言いました。壁にかかったカラヴァッジョの絵の、顔色の悪いトマスを見ながら、司祭はひとり微笑みます。僧侶は立ち上がりました。左足で重心を取りながら、ゆっくりと光と反対を向きました。彼はゆったりとした素朴なローブを着ており、用事のないときは両手を組み合わせて、その布の間に埋もれさせていました。

「皆がその女性は狂ったものだと思いました」と僧侶は続けます。「これを唯一気の毒に思った修行僧は、如来が住んでいた修道院を指差しました。女性が如来を訪ね、助けを求めますと、如来は町に行ってすべての家の扉を残らず叩くようにと仰いました。誰も亡くなったことのない家庭を探し、その家からマスタードの粒を貰い受けよと、如来は仰ったのです。それで彼女は行きました」

「そんなのは無理じゃない」とソフィーはとっさに言いました。僧は左手をローブの胸の上に置きました。彼の右手は下に伸び、それは地面に、地球に触れようとするかのように、テーブルすれすれのところにありました。

「そうだね、無理だ」とローレンは言いました。「大した骨折りだな」

「それでキサゴータミーはようやく、手放すことを学んだのです」と僧侶は続けました。「彼女は息子を町はずれに連れて行きました。そこでしっかりと弔ったのです」

ローレンはマントルピースを見やりました。スノードームはきちんとそこにありました。司祭が戻して置いてくれていたようです。チーク材のタンスと合わせて、マントルピースにもぴったりです。ローレンはベランダの電灯をつけてキッチンに向かい、その四つの電灯をすべて点けました。戸棚を開けて大きなボウルを取り出すと、そこに水をたっぷり汲んで、小さなキャンドルをいくつか浮かべました。キャンドルは片側に集まっていきます。それぞれの炎が長く棒状に光り、奉納の蝋燭のようでした。

‡

窓から目を離し、ローレンは銅鍋の水にバラの香水を回しいれました。ヤシ糖は切らしていました。オレンジの皮は剥いてありましたが、もうぼろぼろで、駄目になってしまっていました。ローレンはストーブを消して座り、ピーナッツバターの新しい瓶を開け、丸餅にまぶしました。シリアルやハニーカシューはありません。ちゃんとした料理用のチョコレートも、オーブンもありませんでした。ノバスコシアで作ったような朝食は出来そうにありません。

ソフィーは涼しい夜を室内にも招こうと、窓を開け放っていました。客人のため、四角いテーブルの上に、洗いたてのリネンのシーツ、毛布と、ふたつの大きな枕を積み重ねて置きました。僧侶が菩提の種で出来た数珠を渡すと、ソフィーは真珠のように大切に、それを手首に三度巻き付けてみました。そしてソフィーはこれを、壁のカラヴァッジョの複製の前にある、棚の上の木製のボウルに入れました。そこがぴったりの場所だと思ったのです。司祭はテーブルの上で背を丸め、大きな枕の一つに顎を沈めると、クリヤの詩集を読み始めました。彼は徹夜するのだと言いはばかり、止めるように言っても聞きませんでした。

ローレンは顔を上げ、窓の外を見ました。あの名前を口ずさんでみました。先ず月に向け、次に穏やかな川の流れに向けて。トンレサップの湖は、もうすぐ氾濫するでしょう。「今年こそ、メコン川が道を示してくれるかも知れない」ローレンはささやき、目を閉じて小さく祈りながら首を垂れました。声もなく、何度か自分に向けてアーメンとつぶやいてみます。片方の足は玄関マットに、もう片方はベランダの灰色のセメントの上に、とても不確かな境界に彼女は立っていました。

「次に来るとき、あの詩を持って来てくれる？　女の子の話の」

彼女は少しの親愛を込めて司祭を振り返りました。ローレンの手には小さな刃が握られています。彼女はそれを親指で二つに折り、スノードームの下に滑り込ませました。あのメモはまだそこにありましたが、ローレンはもうそれを読み返したり、秘密のメッセージを探したりしませんでした。ローレンは戸口から外へ出てゆきました。脱穀場へ行き、石の上で眠ろうと思ったのです。

★ ノバスコシア▼英領だったが七年戦争によって仏領に。その後もいさかいはやまず、後に「アカディア人大追放」が起こった。

★★ パンポル・ライス▼フランスのブルターニュ地方に位置するパンポルというコミューン発祥の料理。

★★★ サンディレイク▼カナダのネイティブ民族、オジ・クリーの自治区。

★★★★ ウィニペグ▼サンディレイク同様にカナダネイティブの居住地。

★★★★★ ベンガロール ▼インド南部の大都市。バンガロールとも。

命には命

アーリー・ソル・A・ガドン

バコンの町には、原住民のことばでも、教養ある方々のことばでも、おなじように囁かれている噂がある。インディ・ショーンの魔法はまぎれもない本物の奇跡だ。皆がそう言うのだ。でもあの人は魔女というよりも、精霊と会話する力を持った熟練の交渉人（シャーマン）と呼ぶ方が適切だろう。十二の卵と引き換えに陰る日照りを呼び戻し、三羽の鶏の生き血と引き換えに雨を降らせる。等価交換、物々交換。精霊たちはそうやってインディお婆さんの問いかけに応えた。例えば、重たい病気の子供を治すには、子牛を一頭殺して捧げる。なんでも知っているこのお婆さんは、町の誰も知らないことばを話すのだった。

野原の真ん中をひとりで、長いこと歩いていた。刈り取ったばかりの稲の香りが肌に沁みてゆく。精霊たちは何とならなら交換に応じてくれるだろうと、考えながらどんどん歩いた。この子宮に命が宿ってくれるなら、なんでも捧げよう。喜んで差し出そうと決意する。ミゲルはもう何度も何度も、もし息子が生まれたら……、と私に言い聞かせていた。俺がこの手で教育して、さとうきび畑の立派な経営者に育てるんだ。あの人はもう痺れを切らしていた。

私が晩婚になったのは、不可抗力というか、不運の積み重なったひとつの結果だと思っている。この小さな町の元知事である父のお眼鏡にかなう求婚者は、なかなか現れてくれなかった。父や町の人への面目のため、ヴィラヴェルト家の立派な家名を穢さないようにするには、どうしても小貴族以上のお相手でなくてはならない。天がミゲルと出会わしてくださるまで、私は辛抱してずっと待っていた。

父は頑固な人だったから、きっと天罰だったのだろう。血統の正当後継者の誕生を喜ぶことなく、天に召されてしまった。そのとき私たちは結婚してもう七年も経つというのに、子供がひとりもなかったのだ。

ミゲルとの婚姻は強制されたものだけれど、私たちは好き合っていないわけではなかった。彼が私を見る目には、さとうきびのような甘さがあった。「少なくとも十二人は生んでもらうよ。子沢山が俺の夢だからね」と、からかうようにそう言ってミゲルはよく笑った。「十二人とも、別の月の生まれなんだ。そうしたら代わる代わる誰かの誕生月になるだろう。俺たち家族みんなで、一年中お祭り騒ぎをしようよ、ダーリン」

植えつけがすぎ、収穫がすぎた。なんどもなんどもすぎた。それでも私たちには子供がなかった。お祭りがある度にミサに出向き、どこかにおいでの親切な天使様に祈ったものだ。子供をください。私は半分、やけになっていた。

インデイ・ショーンに会いに行きたいと言うのを、ミゲルは許してくれなかった。精霊を信じていないから。ミゲルが信じているのは、征服者の持ちこんだ宗教の、白人の神様だけ。でも私の召使のパンディンは、インデイお婆さんの力を信じていた。

「ええ奥様。そうですとも。インデイ・ショーン様の御力に救われた者は大勢いる。あの方なら、きっと奥様を助けてくださるでしょう」

マンゴーの巨木の足下にインデイ・ショーンの小屋はあった。葉を分けて中へ入ると、インデイお婆さんがやってきて、つよくつよく私を抱きしめた。なんて熱烈な歓迎だろう。出会ったばかりのよそ者でなく、まるで亡くした大切な誰かを迎えるよう。お婆さんの顔を見れば、深い皺の中に埋もれたやさしげな黒い瞳が、涙でぼやけているのが分かった。羊皮紙のようにかさかさの皮膚が私の両手をぎゅっと包むと、一月の朝の冷気が指に沁みてくる。けれど私は、お婆さんの奥に見える棚に置かれた、世にも奇妙な品々――動物の脚、ふしぎな木の根、見たこともない色の液体が詰まった瓶――に視線を奪われてしまった。

「ミラグロス、おかえりなさい！　戻ったのね。まさか会いに来てくれるなんて……ああ、ミラグロス……」

インデイ・ショーンが私をこう呼ぶことには、あまり驚かなかった。祖母と間違われるのはいつものこと。土色の瞳が瓜二つだと皆が言うから、慣れている。私は慎重に、失礼のないようにこう返した。

「インデイ・ショーン様、私、カルメンです。ミラグロスの孫娘です。お力を貸して頂けないかと思ってまいりました。この腹に子が宿りませんの。白人のお医者にも治せなくて……」

お婆さんの瞳からは涙の色が消え、代わりに畏怖のようなものが宿った。私の表情から何かを探ろうとしているように、インデイ・ショーンはぐっと噛み締めて赤くなった唇をすぼめた。まるで反対したいのを我慢しているかのような顔。私が「冗談ですよ」言ってと笑いだすのを、じっと待っているかのような顔だった。冗談を言いにはるばる来たわけではないけれど、お婆さんはきっと、本当はミラグロスだよと言って欲しかったのだと思う。

「インデイ・ショーン様、町の衆は皆、あなたのお力を存じております」言いながら、切望の味がほのかに薫った。「どうか助けて下さい。どうぞお願いいたします」

お婆さんは何も言わずにこちらに背を向け、ふしぎな小瓶でいっぱいの魔法の戸棚へと向かった。私が目当ての人物ではなかったことを、ようやく認めたようだった。インデイ・ショーンは散漫に、瓶を手にとっては戻している。

戸棚の細々したものと少し格闘するうち、ボロボロの人形がふと床に落ちた。私は急いでそれを拾い上げ、インデイお婆さんに手渡す。人形を見つめるその瞳は、悲しみを押し殺しているようだった。

「精霊との取引には」お婆さんはしわがれた声で言った。「同じだけの対価がいる。分かるかい」

「ええ、ええ。存じ上げております。なんでも差し出す用意がございます」

「命には命。授かる命がひとつなら、手放す命もひとつ」

一ダースの鶏だろうと、小屋一つ分の豚だろうと、牧場中の子牛だろうと構わなかった。全て持って行かれたって、喜んで応じるつもりだった。

「はい。分かっております」

インディ・ショーンは不意に身をかがめ、床から何かを拾い上げた。黒いボタンだ。先ほどの人形から取れ落ちてしまったものらしい。なんて目の良いお婆さんだろう。私は少し面食らった。

「愛しい子、いいかい……命ひとり分。赤ちゃんの命と引き換えだ」

インディ・ショーンのことばの意味が分かったとき、私は腹に鍬を入れられたような思いがした。確かに、大きな誤算だった。

「インディお婆様、それは……それは人間の命のことでしょうか」

「愛しい子、その望みを叶えられるのはね、進んで差し出された命だけ」

牛の眠るような沈黙が、のっそりとふたりの間に横たわっていた。私に向き直ったインディ・ショーンは、とてもやさしい顔をしていた。

「もうお行き」お婆さんは人形を片手に、黒いボタンを他方の手にしてそう言った。「心が決まったら、精霊が聞き届けてくださるからね。手放す命が定まったとき、願いは叶えられるだろう」

満杯の米袋を運ぶような、重い足取りでその場を去った。両肩に、重たい気持ちがのしかかる。まだ授かってもいない赤ん坊の死刑宣告のようなお告げだった。小屋があるマンゴーの木の下を振り返って見れば、葉の緑が夕暮れのオレンジ色を覆っていた。

歩いて、歩いて、広場の前にある教会にたどり着く。この心が、必死で祈りのことばを叫んでいる。

静寂がこだまする。しなきゃいけないことは、はっきり分かっている。

その夜、月が天へと昇るころ、私はミゲルに身体をゆだね、精霊に魂をゆだねた。精霊は私の願いを聞いてくれたようだ。肥沃な畑に種もみが撒かれた頃には、私の子宮に撒かれた種も静かに育っているのが実感できるようになっていた。

白人のお医者がおめでたですと告げたとき、ミゲルは小躍りしてほんとうに喜んでくれていた。すぐに俺の子ミゲリートが、この大農園の次期当主としてその名を轟かせるのだと、夫は聞いてくれる人になら——その場に居合わせただけの不運な人にも——誰彼構わず自慢して回った。授かる宝と手放す瞬間とが一緒に訪れるのを待つ間、私の心は深い喜びと悲しみに満ちあふれていた。

満月がふたつ行きすぎた頃、私は夢を見るようになった。毎晩、眠りの世界は映画のようにすぎた。私でない誰かの遠い昔の記憶を、順に追うような夢だった。

「チューリンってハンサムよね。ショーンもそう思わない?」

さとうきびのように甘く、後を引くような少女の声だった。

「ハンサム?　相変わらず男の趣味が悪いね。あいつ、コオロギみたいな顔してるよ」

苦々しい声が続いた。焦がし砂糖のような声。くっきりと区切られた発音の話し方は、キナライア語の訛りを思わせる。私の母語だ。ふたりの声色のコントラストは、さながらピーナッツ・ブリットル。父がいつもみやげにしていた、故郷の味。

「あはは！　意地悪言うのね、ショーン。面食いなんだから」

「親愛なる友よ、そういうアンタは見る目がないね。悪趣味すぎるったら」

「あらあら、私は少なくとも結婚の予定があるもん。アンタはどうなの、ショーン？」

「私の人生に男は要らないよ」

「ショーンったら。女は人生に男が必要なものよ、みんなそうよ。でしょ？」

「私の名前は抜いといてよ。ばあちゃんがそろそろ駄目そうなのよ。近いうちに、ばあちゃんの精霊の取引のアレを誰かが継がなきゃって話になる。私はそれを継ぐの」

「お婆様みたいな、交渉人（シャーマン）になるの？」

「それ以外に、やりたいこともないから」

私じゃない誰かの記憶の中には、毎回このふたりの女性が出てきた。ひとりは土色の目をした女性。ひとりはカールした黒髪が海のようにたなびく女性。

「チューリンがパパにね、私をくださいって言いに行ったの。パパ、許してくれるって」

「ふうん、アンタの生涯の夢がついに叶うんだねぇ」

「ね、花嫁付き添い人をやってくれるでしょう、ショーン」

「ミラグロス……それはちょっと難しいよ。そっちの結婚式になんか出たら、精霊に失礼だから……。私、今交渉人(シャーマン)なんだよ」

「あら、ねえお願い、ショーン。こんなの頼むのアンタだけよ。他の誰も考えられない」

「アンタにはチューリンがいるだろう、ね、私なんかいなくて平気だよ」

夢の始まりは似た景色が多かった。土色の瞳の女性が、ショーンと呼ぶ女性に対して、キャンバスを差し出しながら期待に満ちた目で何か懇願するのだ。

「ねえ見て、私が描いたの。はい」

「これは何のワイロさ」

「失礼しちゃう。これは約束の印。ずっと友達でいようっていう印。私はずっとそばにいるよってね。アンタもずっとそばにいてくれたから」

「もう友達じゃいられない。分かってるでしょ、ミラグロス……私の気持ちには、気づいてるんでしょう……」

焦がし砂糖のその声は、あまりに苦く悲痛だった。ずきずきと響く頭痛に目を覚ますと、舌の上にはまだその味が残っているようだった。

インディ・ショーンの小屋にまた行きたかったのに、それが叶わないまま時がすぎた。ミゲルが私の体調を気にして、ひとりで外に出るな、召使を連れて行っても駄目だとよく念を押したから。月は焦るように表情を変え、時間は急いたようにすぎて行った。

あの夢は、夜を数えるにしたがって、悲壮感を増していった。

「ミラグロス、お願い、もう泣かないで。アンタ、もう身体をイジメないでやってよ、大事にしてよ」

「だってもう三度目よ、ショーン。三回も流しちゃうなんて。神様を怒らせちゃったんだ。これって罰なのかな、ショーン。私、どうしよう」

「ミラグロス、アンタのせいじゃないよ。大丈夫だから」

「助けて、お願いショーン。赤ちゃんがいないといけないの、私」

「でも……引き換えが……」

「なんでも差し出す。なんでもするわ」

「命には命だよ、ミラグロス。差し出す命がなくちゃ」

冷や汗でぐっしょりと濡れたシーツの上で目が覚めた。赤ちゃんが、お腹の中からやさしく蹴った。この悲劇を毎晩のように目撃している、その理由がそこにある。重い腹をさすりながら、そうだ、もうすぐこれも終わるんだと、私は気を取り直していた。

そして、その時が来た。待ちきれなかったその時。永遠に先延ばしにしてしまいたかった、この時。雨の夕暮れだった。身体の内側から、背骨にかけて貫くような痛みが走る。時は来た。

その前の晩、夢を見ていた。若き日のインデイ・ショーンが、あの小屋のふしぎな小瓶でいっぱいの棚の前の床に泣き伏していた。黒いボタンの片眼が取れた、しかしよく手入れされた古い人形を抱え、涙声でなんどもなんども、インデイはこう言った。

「許して、ミラグロス。ごめんなさい、ごめんなさい……」

ミゲルが助産師を呼んだ。その目には動揺と喜びの色が見える。身体を引き裂くような痛みの中、インデイ・ショーンのことばが最終宣告のように脳裏に響いていた。

「命ひとり分。赤ちゃんの命と引き換えだ」

インデイ・ショーンが、私のおばあちゃんの名前を呼ぶのが聞こえた。——ミラグロス、ミラグロス！

——土色の瞳からとめどなく涙を流す女性の顔を見た。精霊との契約を思い出す。後悔なんかしていない。授かる命と引き換えに、私は私を手放す覚悟ができていた。

ありったけの力をこめ、その約束の果実を自分の外へ押し出した。最後に覚えているのは、ここちよい命の叫び声と、「やったぞ、男の子だ!!」というミゲルの嬉しそうな声。そして私は、暗い静寂の海へ沈んでいった。

死ぬのは怖くはなかった。九カ月も前から準備していたのだから。だから、私は目を開け、腕に抱かれた赤ちゃんを見て、言い尽くせないほど驚き、そして喜んだ。生きてる。精霊は差し出された対価を取らずに去っていった。生きてる。ミゲリートが腕の中にいる。見て、聞いて、触れることができる。

天に向かい、感謝の祈りを捧げた。体中に喜びが満ちていた。しばらくすると、ミゲルが部屋に入ってきた。

「ダーリン、体調はどう？　長いこと寝てるから心配したよ。もう起きてくれないかと思った」

夫が私の額に、それから息子の額に、順にキスを落とす。

腹の奥に罪悪感を覚えた。この人は、精霊との取引を知らない。

「ありがとう。大丈夫よ、ミゲル」

「俺の子はとっても美男子だよ。見てごらん。パパによく似てる」

ミゲルが赤ちゃんを抱きあげて、機嫌良さそうに笑っている。誇らしげに息子を見つめる。私はインデイ・ショーンのことを考えていた。身体が良くなってきたら、きっとすぐにお礼を言いに行こう。

うとうとしてしまったのだろう。目が覚めると、辺りは暗くなっていた。ミゲルが鏡の前で着替えている。ミゲリートは、真っ白な布に包まれてすやすやと眠っていた。

「起きたのかい、ダーリン」夫が言う。

「どこかにお出かけだったの、あなた」

「うん。それがね、通夜に行ってきたのさ。町一番の癒しの魔女の……君なら覚えているだろう。インデイ・ショーンだよ」

急激に、心の底がひんやりとした痛みに襲われる。遠い昔、いとこに背中を押されて、マディアス山の氷の泉に突き落とされた、あの痛みだ。

「ベッドで眠るように死んでいたそうだ。息子が足を捻ったと言って訪ねた農夫が見つけたんだよ。婆さんのそばには毒薬の瓶があったんだってさ。きっと年を取って目が悪くなったので、薬と間違えて毒を飲んだんじゃないかって、村のお偉いさん方は言ってるらしい」

私は、インデイ・ショーンのやさしい顔を思い出していた。自分が何を頼んでしまったのか、思い出していた。床に落ちた小さなボタンを私より早く見つけたことも、思い出していた。ミゲルが何か取り出した。キャンバスの巻物だ。縁が黄ばんでいるところを見ると、数十年は昔のものなのだろう。

「ごらんよ、ダーリン。インデイ・ショーンの遺品なんだよ。長がね、君に渡せと言うんだ」

ミゲルは巻物を広げながら続けた。「若い女がふたり描いてある。君よりか少し若いくらいの歳かな。左がインディ・ショーンの若い頃だろうね。それから、ごらん。ほらこの人だ。もうひとりの方がね、君にそっくりなんだよ」キャンバスをこちらに向けてもらう。若いインディ・ショーンのやさしい顔が私をみつめている。その横に、土色の目の奥に秘密をたたえた女性が微笑んでいた。私に種明かししたがってる、そんな顔だ。ミゲルが言う。「君の話を覚えてるよ。君のお父上が生まれた時、お婆様はすぐに亡くなったと言ったろう。その時亡くならなかったら、きっとインディ・ショーンと似たような歳のはずだ。つまりね、きっとこれが君のお婆様なんだよ、ダーリン」

若い女性がふたり、マンゴーの木の幹にもたれて、手を繋いで立っている。その瞬間、開いてもいない窓から冷たい風が吹きこんだ。昨日生んだばかりの赤ちゃんが、泣いている。

私はやっとのことでベッドから起き上がると、ミゲリートを抱っこしなくちゃと急いだ。籾すりの臼から米が流れ出るように、涙があふれて止まらなかった。

息子を授かった喜びの涙。感謝の涙。そして、罪悪感の涙。ミゲリートを胸に抱きよせ、やさしく揺れてやりながら、命が刻む鼓動のリズムをそばに聞かせる。ミゲリートは眠りに落ちていく。

編者による解題

リベイ・リンサンガン・カントー

この記念すべきアンソロジーには、収録する短編小説の「取捨選択」という膨大な作業が必要不可欠だったわけです。「誰もが」ここでくつろげるようにと作ったアンソロジーで「誰か」の作品を選ばなければならないのは少しばかり皮肉に感じられましたが、兎も角それが編集者である私たちの役割でした。

無論とてもやりがいのある仕事です。我々はジャーナリズムでよく言う「いつ、どこで、だれが、なにを、どのように、どうした」というフレーズを駆使して、今度のアンソロジーにふさわしい作品探しに当てはめることができるかも知れないと考え付き、活気づいたのです。研究成果をここに紹介します。

まず、だれが。

我々は、どんな作家がクィアな作品を世に送り出しているのかを探すことから始めました。LGBTQI+のどれかだと自認している作家に、なるだけ沢山よびかけました。この手のアンソロジーは、LGBTQI+のうち一種類だけとか、二種類だけを選んで構成されることが多かったのですが、我々の目的はできるだけ多くのアイデンティティを取り込むことです。

無茶は承知の挑戦でしたが、非常に多くの応募と、連絡した方々からの色よいお返事を頂き、滑り出しは順調でした。

次は、なにを。

応募作品を受け取った後、我々は、ＬＧＢＴＱＩ＋の仲間たちが「なにを」、つまりどんな主題を世界に発信したがっているのかを探りました。これは様々な人に答えてもらいたい質問ですね。さてクィア作家たちは、クィアについてだけを書いているのか、それとも他のジャンルやテーマ、読者層にも垣根を広げているのか。調べた結果、多くの作家がクィアなコミュニティに向けて胸打つストーリーを提供することに注力している一方で、より幅広い市場を目指す作家もいることがわかりました。このアンソロジーにおいては、まず全体のテーマを統一する必要がありますから「クィアな主題や内容を書くクィアな作家」と限定して選定することとなりました。そんなアンソロジーですが、クィア性と同時にそのほかの主題の表現にも多様に注力していることが見て取れるはずです。殺人も、食べ物も、家庭も、もちろんセックスも重要な主題です。文学界お決まりの三位一体、「愛・欲望・喪失」も全て網羅しています。選択肢を絞るのは実に難しい作業でしたが、それだけに達成感もひとしお。これは単なるカミングアウトを越え「私たちはずっとここにいるんだよ」と世界に示すアンソロジーです。楽しんでもらえたでしょうか。

次は、どこで。

これらの物語を読むのは、作家がどこ出身の物書きで、現在どの空間で書いているのかといった「どこで」を考えることも付随する行いです。というのも、必ずしもアジアを拠点としていないアジア系作家（複数地域に拠点を持つという作家も）からも多くの応募がありましたし、アジアを拠点とする非アジア人の作家が、アジアでのクィアな人生について書いた作品もありました。実に多彩な顔ぶれです。

そして、いつ。

作家が別口で発表しようと考えていた既刊の物語からも、多数の応募がありました。これらの作品が「いつ」書かれ「いつ」初めて世に出たのかといった時期の特定も興味深い要素の一つです。作家らの教えてくれた場所を探れば、非常に嬉しいことに、クィアな物語は我々の想像よりも沢山出版されていたこと、予期しないような場所で発表されてきたことが分かりました。これらの物語を若い読者諸君に改めて紹介できることをとても嬉しく思っています。

さて、残るはどのように、です。

おそらく一番興味深いのがこの点でしょう。ＬＧＢＴＱＩ＋の作家たちは、「どのように」その場所、空間、存在から物語を創り出しているのでしょうか。我々はジャンル専門の作家なのでしょうか。流行を追うこともあるでしょうか？　伝統的なものを受け入れているでしょうか、それとも反抗的に実験的なものを押し出しているでしょうか。それとも常に、ノスタルジーや記憶、子供時代、トラウマ、愛、否定、楽観主義、アクティビズムなど、悩みや考察の根源から書くものなのでしょうか。これらの物語は、クローゼットの中で書かれたものでしょうか、それとも、先人が夢見たパレードの高みへ続く、虹色のフロート車に乗っているときに書かれたものでしょうか?　我々はどのように物語ることができたのか、答えを見つけてください。

これらのことを発見したとき、「なぜ」なんてもう問題ではありません。

「なぜ」書いているのか。無論、我々には書くことが必要だからです。けれど、もっと大切なのは読まれる必要があるということ。我々の声は、長い間黙殺され、強制的にミュートされ、都合よく利用されてきました。このアンソロジーで、今、そんなのは「もうたくさんだ」と伝えたい。

我々はクィア。我々はここに実在し、いつの時代も消えることはない。そろそろ慣れたらどうだ。

先人の言葉をこう引き継ぎましょう。

作家の皆さん、我々に作品を託してくださってありがとうございます。どうか、書き続けてください。読者の皆さん、この本を手に取ってくださってありがとうございます。

以上、誇り(プライド)を持って!

クィアの時代に——「訳者あとがき」にかえて

村上さつき

英語で書かれたクィア小説を翻訳するとなったときに何が困ったって、先ずは一人称。登場人物の一人称をどうしよう。「I」の持つ包括性やら曖昧性みたいなものをそのままお届けするには、日本語の一人称ってちょっと多岐に渡りすぎているし、色んな意味でジェンダーされすぎている。

言い訳はあった。例えば日本語では「今日は家で仕事をしていたんだ」と言えばマア文法的に語り手が主語なのは自明であるのだから、「I」を訳さずとも一冊丸々通して全部の一人称を省けば良い…それもひとつ、方法としてなくはないんだぜ…とか。でも「クィアな人格を表現するには、その人物は『自分』を呼称してはならない」なんて絶対おかしいじゃない。だからそうはしなかった。

すると、「ぼく」「わたし」「おれ」なんかのよくある、ジェンダー化され古した一人称が並んだ。やっぱり。これじゃあ規範的すぎるかな……と思えてならなかった。結局迎合的になっているような気がする。性別二元論から逃れ得ない気がする。クィアってなんだっけ。これでいいのか。

いやいや、待て。待て。そもそも英語の一人称「I」は既にジェンダーに縛られたものではないわけで、脱規範運動も今のところ必要とされてはいないのだから、このアンソロジーに参加した作者たちは「挑戦的な一人称で行こう」なんて気持ちで書いてるんじゃないはずだ。一人称のジェンダー問題は日本の問題なんだ。訳者である私が原作者に無断でそんな日本独自のめあてを付与しちゃうのは、矢張り出過ぎた真似なのだ。日本の一人称問題に焦点を当てた文章を書くのは「翻訳者」の役目ではなさそうじゃないか。あくまで出来る限り忠実に、を第一にするのが私の仕事だったじゃないか。どう、どう。

だが逆に言えば、この葛藤を経ない限りクィア小説に対して真に忠実であることは、少なくとも私には叶わないことであった。だって英語でジェンダーされている三人称の方は、原作者達もある種のめあてを持って書いているようだったから。

三人称。「he」とか「she」とか。つまり、人はあなたの見かけで勝手に性別を判断して、勝手にそれを前提として「彼は~だね」なんて話を進める。それが問題だった。日本語にすれば容易に「その人」と言って解決出来るこの三人称問題は逆に英語圏では未だに結構根深いのだけれど、それに対して作家たちがどうアプローチしているのか、是非また読んで感じてみて下さい。

現実世界においても、英語圏では「What are your preferred pronouns?(三人称は何が良いですか)」と本人に確認しようというのがやっと少しずつスタンダード化してきた。なんて呼ばれたいか、どの性別にされたいかは自分が決めるのだ。プログレッシブな個人主義がこうも意識的に言語に介入していく様をリアルタイムで見られるから、本当に面白い時代だと思う。本アンソロジーの刊行にあたっても、一度原作者さんたちにこの質問をして確認を取ったものを巻末のプロフィール欄に書き添えてある(性別や性自認が変わったという人がいるかもしれないから、定期的に聞き直すのも大切だ)。ちなみに私の三人称は「She か They」である。そういうのも出来る。というか「What are your pronouns?」と聞かないうちはどれを使うか分からないのだから、基本的に They を用いるのが最近の考え方だ。They は最早「彼ら・彼女ら」ではなく、「ジェンダーニュートラルな三人称」である(個人に They を使う場合も複数形と同じ文法で使います。三人称単数の -s は必要ないです)。

こうして原語である英語の方でも人称とジェンダーとクィアネスが切っても切り離せないように、クィア小説を日本語に訳すにあたって一人称で迷わないなんて道がそもそもあり得ない。それにこれは西洋中心主義・ヘテロセクシャル中心主義の世界に生まれたアジア・クィア短編集なのであるから、西洋スタンダードだけ取り入れましたと言って日本の一人称問題をこの主題にアダプトせずに全く放っておくという訳にも無論いかない。西洋中心主義におけるクィア(周辺)たるアジアの一国の翻訳者として、私は一つの解を出さねばなるまい。

◆

一人称ってなんだろう。特に「物語の登場人物」の一人称って。

日本語はとっても一人称コンシャスな言語である。漫画やアニメ、小説、スマホゲームなんかにおいては、キャラクターの印象を決めるひとつの要素として一人称が大きな役割を果たしている。

「白黒の（時に文字だけの）世界で、猛スピードで情報が行き交うスマホゲームの市場で、なるべく早くそのキャラクターをユニークなものとして確立したい…視聴者に早く覚えてもらいたい…」そんな風に考えたとき、一人称で差をつけるのは簡単だし、ある種親切でもあるのだろう。Aさんが「私」、Bさんが「あたし」で話してくれれば確かに見やすい。Cさんの一人称は「我輩」ですなんて言えば、面白いし記憶にだって残る。

こうして我々はキャラクタライゼーションの名の下に、ひとつの一人称をキャラクター個人と不可分のものとして結びつけるわけだが、私はこれはあんまりクィアじゃないと思っている。

だって、個人の経験に照らせば、私は私の一人称なんかひとつに決めたことはない。正直なところ、「いや、誰と喋ってるかによるだろう」と思う。むかーし、幼稚園くらいのとき、「うち」っていう一人称が流行って、園内ではそうしていたことがある。でも家庭ではそれが嫌がられたから、自分の名前を一人称にしていた。中学では「おれ」とか「あたし」だったこともある。でも職場では「わたし」とか「わたくし」と言うのが求められているのだし、家族間では未だにニックネームだったりするじゃない？　それに合わせて口調も変えるし。一人称が一種類で本当にそれしかないという人もきっといるだろうけど、それって恐らく「わたし」か、もしくは「おれ」のどちらかだと思うのだ。それが一番「受け入れられやすい」のだから。つまり、一人称は個人が選ぶ自己表現であると同時に、個人のコントロールなんかそっちのけで下される社会からの命令の側面を有している。

「フツーでいなくては」「礼儀正しくいなくては」「求められる自分でいなくては」と。

祖父母の前では可愛く「〇〇ちゃん」と自称しておいた方が得だった7歳の頃があった。どんなにそうしたくたって、まさかネット以外で「俺」なんて言えない15歳の頃があった。〝女の子〟だもん。それに逆らうことで負うリスクを慮るのはクィア・フェミニストとしての当然の命題でもある。例えば「痛いヤツだ」と思われるとか、それか「〝オナベ〟かよ」と思われるとか？思われるだけじゃ不都合は終わらないんだ。家族関係・友達関係なんかに響くかもしれない。そういう葛藤を、クィア個人が抱えているというところから話を始めなくちゃいけない。

端的に言えば「我々社会存在は場面に合わせて人称や口調を変える」のに「物語のキャラは個人と一人称が不可分である方が見やすい」っていうジレンマがあるってことだ。

このジレンマは、喋る〝主体〟としての我々が「その場面の期待に添った人称・口調」を選び取るのは、受け取る〝他者〟としての我々が同様のことを皆に期待しているからだという集団主義的な因果関係に基づく。のではないかしら、と思う。つまり「仕事だからきちんとした人称・口調で行こう」と思って生活するのは、仕事場にそれが求められているから。そして仕事場を形作る一部として、自分も仲間に同じことを求めている。ここでは喋る〝主体〟は、受け取る〝他者〟の求めに応じている。〝他者〟は〝主体〟よりも権力が強いのである。

立ち返って、漫画や小説などのメディアで一番強いのは、最上級のメタ的〝他者〟つまり受け取り手たる我々視聴者である。キャラクターという〝主体〟はこの力関係の下、我々メタ的〝他者〟の「見やすさ最優先」という圧倒的強制力のために「その場面の期待に添った人称・口調」を選び取る権利を剥奪されるという逆転が生じる。

ジェンダー・パフォーマティヴィティ（＝ジェンダーするからジェンダー化するということ。つまり、女の子だから「私」でピンクで家庭的なのではなく、「私」と自称しピンクを着てお料理をする実践を繰り返すことで社会の求めた女の子に芯から仕立て上げられていくという考え方）などの見地に即してみれば、これはジェンダーロールの再生産と強化に貢献するファクターだと言える（表象される口調によるジェンダーロールの還元の問題については特に中村桃子先生の『翻訳がつくる日本語：ヒロインは「女ことば」を話し続ける』にくわしい）。

更に、クィア個人という〝主体〟の自己決定権の観点から見ても、一人称と口調を柔軟に自由に実行する機会や権利の剥奪は、そのキャラクターを一つの一人称・一つの口調が得意とするジェンダーに押し込める行為であり、クィアネスに至る（現実世界では往々にして不可欠な）ゆとりを奪っている側面が強い。ここに、我々視聴者は『ヘテロ主義的〝他者〟』として立ち現れる。あんまりじゃないか。

言っておくが、別に「見やすさ最優先」のキャラクタライゼーションが無くなるべきだとは思っていないし、そんなこと主張してるわけじゃない。前述の通り、見やすさとは結局、視聴者への親切でもあるのだから。けれど、それを理由に脱規範的個人の生きづらさを透明化したり、有害なジェンダーロールを再生産したりするのも、そんなものを「キャラクターデザインの基礎」とか「戦略」だとか言って正当化・論理化するのも、もうそろそろ終わらなければならない時代だろ、とは思うんだ。

◆

ちょっとくどくなっちゃったわね。本書の翻訳の話に戻ろう。

人称や口調をひとつの型に嵌めない選択の根底にある「脱規範(クィア)」という葛藤のイデオロギーは、それ以外の要素にも影響を与えている。たとえば常用漢字がどうとか、「時・物・事」は平仮名にとか。作品ごとのキャラクターや語り手たちの持つクィア性は、「かくあるべき」日本語表記のルールをどれくらい聞き入れるだろう。『ヘテロ中心主義的〝他者〟』の目には不親切かもしれない脱規範的自己を、どれくらい自由に表現するだろう。

もしかしたら気取ったアイツは無駄に漢字の多い喋り方をするかも知れません。アンソロジー全体を通しての表記の統一は行っていません。だって、「クィア」アンソロジーに「基準」とか「ルール」を設けるのが、私にはひどく可笑しく思われたものだから。

ただ、これは勿論最適解ではなく、いち思考錯誤の結果である。全部私の未熟さ、全部私の至らなさであって、クィアという概念が悪いわけは絶対にないし、編集者も出版社も誰も悪くない。これは翻訳者としての私が我を通した選択です。私の挑戦があなたにとって酷いものであるなら、それはひとえに村上さつきが責任を問われるべきことです。クィアにかこつけて自分勝手してるように見えたならごめんなさい。大いに批判的に読んでください。

マアそういうわけで、本当に簡単に言ってしまうと、願わくは「見やすさ最優先ではない世界」「キャラと一人称・口調が不可分でない世界」を作っておきたいということだ。それが私の今のところの解である。このアンソロジーは、必要があるときには柔軟に一人称も口調も変化させようと思って訳した。キャラクターとキャラクターを見分けるのが困難になりすぎないように努力もしたけれど、それは常に私の優先事項ではなかったから、もし読みづらく感じたらごめんなさい。本書の中に住むキャラクター達はきっと「見やすさ最優先」では動いてくれない。自分を演じ分けるかもしれない。隠すかもしれないし、さらけ出すかもしれない。我々もきっとそれでいい。

だって恋人と話すときは柔らかい口調になるかもしれない。好きな人には口調が似てくるかもしれない。自分を奮い立たせるためにわざと気取った話し方をするかもしれない。本当は「ぼく」と自分を呼びたいのを、苦い想いで我慢しているかもしれない。それって全部リアルでクィアな経験である。

クィアは個人じゃない。なんならセクシュアリティに限った話でもない。クィアは脱規範。生きる困難。クィアは理想郷。明日がもっと自由であるための、過渡期たるわれらの時代の葛藤と共感。

ありのまま皆さんにお届け出来たことを願っています。

クィアの時代に向けて。

クィアな個人の経験は、文字通り脱規範的であることではなく、脱規範と規範の間で葛藤する部分に立ち現れるのじゃないかなと思っています。

◆

自分らしくいたい。だけれど「フツー」でいたい。

自分の自分らしさを受け入れてくれない世界が嫌い。でも「フツー」じゃない自分のことが嫌い。

自信をもって自己表現したい。ユニークでいたい。でも浮きたくない。

洗いざらいさらけ出してしまいたい。でも今まで築いてきたものを壊したくない。

二律背反を容易に包み込んでしまうのが人の心の不思議なところで、その割に社会はもっと分かり易い単純なあなたを求めているようで、特に集団主義の「空気読む」的な価値観の強いアジアのこの国・日本においては、脱規範を抱える個人の葛藤と痛みには特有の色がある。

この本はアジアのクィア個人のリアルな経験が沢山詰まったアンソロジーだから、きっと読者の皆さんに寄り添ってくれるとっておきの一節が見つかるんじゃないかと願っています。私の初めての訳書が、どうか皆さんの良き友人になってくれますように。

そして、原著『Sanctuary』を刊行されたSignal8、寄稿者・編集者の皆様、ころからの皆さん、大学時代の恩師である瀬名波栄潤先生と、文学プロジェクトチーム「みんなのbento」の江刺さん、及川さん、白井さん、朴さんへ。本書の刊行までいっぱい助けてくれて、ありがとうございました！

いきする本だな

まーくのえともじ●金井真紀

I can't breathe. ―― 息ができない ―― との言葉を遺し二人の米国人が亡くなりました。2014年のエリック・ガーナーさん、そして2020年のジョージ・フロイドさんです。

白昼堂々と警官に首根っこを抑えつけられ殺された事件は、米国社会に大きな衝撃を与え、抗議する人々が街頭へ出て「ブラック・ライブズ・マター（黒人の命をなめるな！）」と声をあげることになりました。

このムーブメントは大きなうねりとなり、世界中で黒人たちに連帯するとともに、それぞれの国や地域における構造的な差別と暴力の存在を見つめ直す機会となったのです。

さて、いま21世紀の日本社会に暮らすわたしたちは、どんな息ができているでしょうか。

誰に気兼ねすることなく、両手を広げ大きく息を吸って、思う存分に息を吐くことができているでしょうか？

これは、ただの比喩ではなく、ガーナーさんやフロイドさんと同じように物理的に息を止められていないと言い切れる社会でしょうか？

私たち、ころからは「ブラック・ライブズ・マター」のかけ声に賛同し、出版を通じて、息を吸うこと、吐くことを続けようと決意しました。

これらの本が集うシリーズ名は「いきする本だな」です。息することは、生きること。そんな誰にとっても不可欠な本を紹介していきます。

息するように無意識なことを、ときには深呼吸するように意識的なことを伝えるために。

2021年　ころから

イン・クィア・タイム
アジアン・クィア作家短編集

2022年8月10日　初版発行

2200円＋税

編者　イン・イーシェン
リベイ・リンサンガン・カントー

翻訳　村上さつき

パブリッシャー　木瀬貴吉

装丁　安藤順

発行　ころから
〒115-0045
東京都北区赤羽1-19-7-603
Tel 03-5939-7950
Mail office@korocolor.com
Web-site http://korocolor.com
Web-shop https://colobooks.com

ISBN 978-4-907239-63-3
C0097

mrmt

編者プロフィール

イン・イーシェン *Ng Yi-Sheng* **he／him** シンガポール

シンガポール出身の作家、劇作家、且つLGBT活動家。彼は現在、南洋理工大学でクリエイティブ・ライティングの博士課程に在籍中。著書に、詩集『last boy』(シンガポール文学賞受賞)、『Loud Poems for a Very Obliging Audience』、『A Book of Hims』、ベストセラーとなったノンフィクション『SQ21: Singapore Queers in the 21st Century』、推理小説集『Lion City』など。元Indigo Nation(シンガポールのLGBTプライド団体)会長にして、GASPP(シンガポールゲイ文学、詩・散文詩アンソロジー)、Eastern HeathensやHeatなどの国内および地域アンソロジーの共同編集者。ツイッター・インスタグラムは@yishkabob。

リベイ・リンサンガン・カントー *libay linsangan cantor* **she／her** フィリピン

彼女はマニラを拠点とするバイリンガル作家。フィリピン語の短編小説でドン・カルロス・パランカ文学賞を2度受賞している。フィリピン大学で映画学の学士号とクリエイティブ・ライティングの修士号を取得。短編小説、エッセイ、詩は、アジア、オーストラリア、北米で作品集にとして出版、アンソロジー化もされている。また、長年にわたり文化ジャーナリストとして活躍し、アドボカシー映画作家、子ども向け教育番組の脚本家・監督、新聞のセクション編集者・コラムニストとしてメディア活動も行っている。連絡先は、libay.scribevibe@gmail.com。@leaflens。

訳者プロフィール

村上さつき *Sazki Murakami* **she／herまたはthey／them** 日本

北海道在住。英日翻訳家兼イラストレーター。文芸作品や映画の分析・考察を中心とした文学プロジェクト「みんなのBento」に所属。本書は初の翻訳書。

著者プロフィールと訳者による翻訳ノート

01/ ラベルの名前

アルハム・ベイジ　*Arham Bhaiji*　they/them　パキスタン

アルハムは時折なんとか詩や物語を書こうと試みては非常に長い制作期間を要する。空想にふけったり、星を眺めてエイリアンの侵略を待ったり、ファンタスティックなものから全くくだらないものまで、色々な作品を一気見するのが好き。また、LGBTコミュニティで十分に語られてこなかったメンバーにスポットライトを当てることを目的とした、南アジアのクリエイティブ・コミュニティOutcastの創設者でもある。その作品は、DaastanやThe Ancient Soulsを含む複数の拠点から出版されている。


「年上の男性の下したルールに、必ずしも従っていないが口を出すことも出来ない同世代」というシンボリックな構図が繰り返されています。まずガキ大将の幼馴染、そして学校の先生。かなりフェミニスティックな物語。

逆に微妙な距離感のシスターフッドも繰り返されています。「脱規範に必ずしもイエスと言えないが、それはそれとして良い関係は続けて行こうとする」サイマの周囲の女性たち。サイマと母親の関係性はその最たるものでしょう。二人はさまざまな面で同意出来ていないし、母親は明らかに「わかっていない」部分だってある。けれども、最終的に「わきまえた距離感」を見定めることによって互いの意思決定を侵さない落としどころを見つけている辺り、もどかしいながらも羨ましい。

02/ あのこ

ラカン・ウマリ　*Lakan Umali*　she/her　フィリピン

ラカン・ウマリはダバオ市在住の作家で、フィリピン大学ミンダナオ校で教鞭をとっている。


ライアとイライジャの最も分かり易い対比は経済的な余裕……金持ちか貧乏か。そしてそれに起因するもう一つの対比である、今と未来に対する考え方の差です。

「僕には四年しかない」「限られた時間を最大限に生かす」「起きてもいないことを考えなくていい」

イライジャは大学生活を満喫したいようだけれど、それはタイムリミットが来たら〝それ〟をやめなければいけないからなのでしょう。

対するライアは将来について、上手く自分のやりたいことを組み込もうと模索中の様子。

ライアは皆からなんとなく敬遠されてるようですし、なんとなくライアを〝女々しい〟と揶揄するような雰囲気はあるものの、誰も彼の見た目やセクシュアリティを直接馬鹿にはしなかった。きっと一時期は食事も共に楽しんでいた。完璧ではないかも知れないが、この空間はき

っとイライジャには切実に、一次的な逃避の場であり、利那の自由の象徴だったのではないかと思います。

03/ バナナに関する劇的な話

ディノ・マホーニー *Dino Mahoney* **he/him** 香港

ロンドンと香港を行き来する劇作家。ロンドンと香港で上演された舞台劇や、BBCワールドサービスやRTHKラジオ4で放送されたラジオ劇で受賞歴がある。香港大学の修士課程でクリエイティブ・ライティングの講義を担当。香港では、かつてRTHKラジオ4で放送されたメロドラマ「Songbirds」の脚本家兼司会者として、またサウスチャイナ・モーニングポストのドラマ評論家として有名である。受賞作である詩集『Tutti Frutti』はロンドンのSPM Publicationsから出版されている。香港の作家サイモン・ウーとはシビルパートナーシップを結んでいる。

おばちゃんと主人公のあぶれ者としての奇妙な連帯と、自己愛と自己嫌悪の葛藤がコミカルに軽快に描かれている。特におばちゃんの過去を回想する段落は、当事者ではないはずの主人公がかなりの共感と熱量を持って同情的に語るのが印象的です。著者の実話を交えた作品なんだそう。
広東語の台詞は、音を優先しようか、漢字を優先しようかと随分悩みました。また、主人公たちが訪れるゲイバーのクィーンたちの口調もかなり悩んだのですが、クィーンと言う語を根拠に、そして「ゲイバーのパフォーマンス性」と言うものがやはりあると考えて、楽しくそこにコミットしている"彼女たち"を描いてみました。
原題は『Banana Drama』です。そういう熟語があるわけでは(知る限り)ないのですが、Bananaには果物のバナナの他に、馬鹿げているとか、狂ったような、などの意味があります。

04/ ハートオブサマー

ダントン・レモト *Danton Remoto* **he/him** フィリピン

マレーシアのノッティンガム大学で英語学部長、クリエイティブ・ライティングと文学の教授を務める。アテネオ・デ・マニラ大学(ASEAN奨学生)、フィリピン大学、スターリング大学(ブリティッシュ・カウンシル・フェロー)、ラトガース大学(フルブライト奨学生)で教育を受けた。好評を博した小説『Riverrun』をはじめ10冊の詩、エッセイ、小説を出版している。作品は、『The Routledge Concise History of Southeast Asian Writing in English』や『The Oxford Research Encyclopedia of Literature』に収録されている。

「ノブレス・オブリージュ」はこの土地ではもう崩壊してしまっているようです。特に余裕のない主人公一家が責務に追われる一方で、大統領たちは空気汚染だけばら撒いて消えてしまった。圧迫された持たざる者たちはその上、取り締まられる前に子宮内避妊具を買って、スニーカーを買って、ヘルメットを買って……と自衛を迫られているみたい。

ノブレスの方から分配される余裕がない経済状態と、フィリピンの十二月から五月までの干からびるような乾季が同期しています。また、持てる者から持たざる者へという図式はどこまでも「一方通行」。この関係は雨にも、恋心にも、国を去る人の流れにも繰り返し現れています。

05/ よぅアダム

アンドリス・ウィサタ　*Andris Wisatha*　**he/him**　インドネシア

1988年、宗教色の強いイスラム教の家庭に生まれた。10代でいじめを受け、ゲイであることを隠すために女の子と付き合ったり、ホモフォビアを演じてみたり、自殺しそうになったりした。ある教授から「神は公正なのだから、あらゆるセクシュアリティに対して公正であるはずだ」と言われ、初めて自分を受け入れたという。その後、デジタル広告のスタートアップを立ち上げ、孤独な人に丸一日寄り添うプロジェクト「#SehariUntukmu（One Day with You）」を共同企画。スピリチュアルと瞑想に興味があり、RPG、サバイバルホラーゲーム、ホラー映画をこよなく愛する。ツイッター、インスタグラムのアカウントは@rebornblessing

実際にあった爆撃テロを下敷きに作られた物語。実際のテロは過激派宗教信者の手によるものだったそう。アダムとブラムの恋模様はいつもブラムが追う側だったようですが、それがゾンビになっても変わらないところがなんだかシュールです。バンドンに二人でバイクを走らせたときにはしっかり捕まえていたアダムの背中をあの夜突き飛ばして、二人の間に築いてしまった心の壁は今バリケードとして物理的に出現してしまいました。二人とも被害者だ。

06/ 呪詛

オヴィディア・ユー　*Ovidia Yu*　**she/her**　シンガポール

シンガポール出身、シンガポール在住で、シンガポールについて執筆を行う。著書に「リーおばさんのミステリー」シリーズ（邦訳に『アジアン・カフェ事件簿1　プーアール茶で謎解きを』『アジアン・カフェ事件簿2　南国ビュッフェの危ない招待』いずれも原書房刊がある）、「歴史の木ミステリー」シリーズ（「フランジパニの木ミステリー」「ビンロウの木ミステリー」「紙の皮ミステリー」）のほか、劇、短編、子ども向けの本がある。読書や執筆のほか、犬、エアプランツ、木、ヨガ、ウォーキング、アウトドアや水辺が好き。電話やスカイプの通話を受けるのが嫌い。

「ジェンダークィアなキャラクターは悪役で、その末路は凄惨な死である」……というのは表現規制時代にジェンダークィアをそれでも出そうとした「ない表象より粗悪な表象」という奮闘の名残のクリシェです。
素直に読めば本作の主人公はいわゆる「悪巧みをする魔女」。物語の最初から既に死んでいることが終盤に明かされる復讐譚というプロットは、意向返しとしては捻りが効

いているのではないかと思います。
この作品の時間の流れは不可思議で、回想の度に一体いつの話をしているのかと頭が混乱してしまいますね。舞台となったティオン・バルが元は墓地→貧相な住宅街→モダンでリベラルなニュータウンと変遷してきた「生まれ変わり」を象徴する場所であることを踏まえると、読むヒントになるかもしれません。

07/ シャドーガール

ジェマ・ダス *Gemma Dass* **she/her** マレーシア

マレーシアのクアラルンプール出身のクィア、白人トランス女性。彼女は、あらゆる種類のクィア、トランス、ノンバイナリーの有色人種についての物語を書き、あらゆる形態のメディアで我々が表現されるべきだと確信している。マレーシア初(そして唯一?)のトランスパンクバンド「Tingtongketz」のベーシスト。

全体を通して、主人公とレベッカの身体の性が繰り返し仄めかされつつも、すんでのところでベールの中に秘められています。二人とも女という社会的性に異なる種類の強い結びつきがある、それだけが確か。主人公たちのセックスがメタファー的に三度ほど出てきますが、全て身体性が異なるのが瑞々しくて大好きです。本当はこの主人公の一人称を途中で変えるアイディアもあったのですが、最終的に起承転結でいう〝転〟の後まで一人称を使わないという方向性で決めました。敢えて不自然に回避させている部分もあります。
クィア・ユートピアを目指して逃げてきたのに、いざ着いてみれば馴染めない。ホームシックに陥る。葛藤する。それでも少しずつ幸せを見つけて、だんだんと馴染んで「このユートピアもまた過渡期である」とまで気がつく主人公。クィア・フェミニストの旅路を象徴するような話だなと思っています。

08/ 生理現象

アッシュ・リム *Ash Lim* **he/him** シンガポール

彼の作品はQuarterly Literary Review Singapore、GASPP(シンガポールゲイ文学、詩・散文詩アンソロジー)、15 Shorts(シンガポールの国家建設時代の知られざる物語を語る短編映画集)に掲載されている。現在、シンガポールの劇団でマーケティング部長を務めている。

「もっとありのままに生きたい」と「普通じゃないのは痛々しくて嫌だ」の二律背反が、ハッテンバの湯気の中でめくるめく主人公の頭をかき乱す。彼の恥ずかしい気取りと葛藤には、きっと誰しもある程度同情や共感の欠片を見出して、自分まで恥ずかしい気分になってしまうんじゃないかなと思えて仕方ないのです。主人公はそんな自分を破壊して欲しいという願望を少なからず抱えて歩き、いざ破壊が傍まで迫ると怖気づく…という流れを今夜何度も繰り返すけれども、結局恐れて期待した〝歯〟は無かったというわけ。行き交う男たちそれぞれが抱える関係性の理想像の、正解のない多様性にも注目です。

09/ 重ね着

アーサー・ルイス・トンプソン *Arthur Lewis Thompson* **he/him** 香港

作家、言語学者。米国出身だが2010年以降は米国に居住していない。2015年から2017年まで、イギリスの「London Journal of Fiction」で編集者を務めていた。現在はパートナーとラマ島に住み、香港大学で言語学の博士号を取得し、東アジア言語のオノマトペとイデオフォンを研究している。また、島でのサバイバル小説を執筆中。

アジア人をマジョリティとする日本を含めた国の中で外国人であるというのも勿論マイノリティ的な経験ですが、その上で「狭い社会で噂になってしまう」ほどの自分の目立ち方や周囲の様子に全く気が付けないとはどんな疎外感と孤立でしょう。特に「空気を読む」的な社会での余所者だと、当然そんな文化の機微は誰にも教えてもらえないのだろうし。と同時に、主人公はある種の不可抗力的で自由な脱規範を大胆に実践できる立場にあるとも言える。だって彼の善意や聞く気の有無に関わらず、見えない規範は守りようがないもの。

10/ 砂時計

アビエル・Y・ホック *Abeer Y. Hoque* **she/her** バングラデシュ

ナイジェリア生まれのバングラデシュ系アメリカ人作家、写真家。著書に、旅行写真モノグラフ『The Long Way Home』(2013)、連作集『The Lovers and the Leavers』(2015)、回顧録『Olive Witch』(2017)など。フルブライト、NEA、NYFAからフェローシップを受け、作品はGuernica、the Rumpus、Elle、Catapult、ZYZZYVA、the Commonwealth Short Story Competitionなどに掲載。ウォートン・スクールで学位と修士を、サンフランシスコ大学で美術修士を取得し、これまでに2回の写真個展を開催。詳細はolivewitch.com。

青と白はイスラムの神聖な色としてのイメージがあります。これが繰り返し出てくるので、女性は肌を隠すこと、という教えが思い出されるのだと思います。あけすけに描かれている情欲とのコントラストが眩しい。バングラデシュの宗教色と女性観・女性の結婚観などは作中でも語られていますが、規範に押しつぶされながらも、公に現れなくても、遠くからは見えなくても、そこかしこに逞しく息づくものはあるってことみたい。所謂中年と呼ばれる年齢にあたる女性主人公がやっと獲得した自分だけの部屋と、セックスにおけるドミナントなポジション。能動的な性欲の肯定が最早爽やかです。

11/ リサルストリートの青年たちへ

イアン・ロサレス・カソコ *Ian Rosales Casocot* **he/him** フィリピン

フィリピン・ドゥマゲテ市のシリマン大学で文学、創作、映画について教えており、

エディルベルト&エディス・ティエンポ創作センターの設立コーディネーターも務めた。著書に、フィクション集『Don't Tell Anyone』『Bamboo Girls』『Heartbreak & Magic』『Beautiful Accidents』などがある。2008年、小説『Sugar Land』がアジア人文学賞にノミネートされた。2010年には作家としてアイオワ大学のインターナショナル・ライターズ・プログラムのゲスト講演者を務めた。

主人公(殆ど作家本人ですが)**はリサルストリートにとんでもなく詳しいことが序盤で明かされるけれど、その実どうなんでしょう。時系列順に読み返してみるのも手かもしれません。最初のサミュエルは嘘多き青年。ジョセフと観た映画『危険な関係』の内容はなんだか彼とダブるよう。ジョセフに学んだ分別から「忘れ去られた部屋」の存在に気が付き、その座標を探して地図を埋めようとする——行ったことあんのって? 「リサルはよく知ってるよ」——**
「愛してくれない人を愛する」要素や、嘘の地図に隠れた真の姿、ロスト・アイデンティティなんかはもしかして、様々な植民地支配を経てのフィリピンの姿の象徴かも知れないと思ったりもしました。

12/ お茶休憩

スー・ユーチェン *Hsu Yu-Chen* **he/him** 台湾

1977年台湾・台北生まれ。国立台湾芸術大学で映画を学ぶ。小説のほか、文学、映画、演劇の批評も執筆している。2008年に聯合報文学賞最優秀小説賞を受賞し、同年にInk社から作品集『Purple Blooms』を出版した。

原語では全編を通して「あなたは〜しているね」というような口調で書かれた作品なのですが、この語り手が誰なのかの解釈を幅広くとっておくために敢えて三人称視点っぽい口調で訳しました。あなたは、君は、と呼びかける存在…この主人公を遠くから見ている存在は、誰だと思いますか? あの男の子か、妻の女性か、それとも上司…?未来の男自身か、或いは神か、コラム書きの彼でしょうか?
セクシャルアイデンティティは勿論大切なアイデンティティの形成要素の一つには違いないけれど、男自身・そして語り手の男を見つめるまなざしと愛情は彼のその煮え切らない部分も含め、更には彼を彼たらしめる別の様々な要素をも包み込むものなのではないかなと思います。

13/ 上陸さん

ジョアナ・リン・B・クルーズ *Jhoanna Lynn B. Cruz* **she/her** フィリピン

フィリピン大学ミンダナオ校の文学およびクリエイティブ・ライティングの准教授。初の著書『Women Loving: Stories and a Play』(2010)は、フィリピン初のレズビアン・アンソロジー(単著)である。2015年、彼女の物語は『Women on Fire』と題された電子書籍として出版された。フィリピンのカルロス・パランカ記

念文学賞を受賞している。現在、オーストラリアのRMIT大学で博士課程に在籍中。

イロカノ族という民族そのものを初めて聞いたのに、その出戻りお見合い文化が、しかも年配の男性と少女の売買取引のような形で続いてしまっているという情報にも同時に出会わされてやりきれない気持ちになってしまいました…。主人公はその文化内で育ち、目撃者としてトラウマと反発を抱えているにも関わらず、自分自身もビジネスで成功した金にモノを言わせて非常に年齢の離れた彼女を繋ぎ止め、今まさに故郷にこの女性を持ち帰ろうとしている『レズビアン版上陸さん』に為ろうとしていることに、すんでのところで気が付きます。冒頭と終盤に繰り返される「収穫」のメタファーが小気味良くじわじわとホラーです。

14/ 蚵仔煎(オアチェン)

リディア・クワ *Lydia Kwa* **she/her** シンガポール/カナダ

詩集『The Colours of Heroines 』(Toronto: Women's Press, 1994) と『sinuous』(Winnipeg: Turnstone Press, 2013)を出版。デビュー作『This Place Called Absence』(Winnipeg: Turnstone, 2000)はいくつかの賞に、次作の『The Walking Boy』はエセル・ウィルソン賞にノミネートされた。『Pulse』は2014年にシンガポールのEthos Booksから再販。4作目となる最新作『Oracle Bone』は、2017年にArsenal Pulp Pressから出版。2019年春には、チュアンチー傳奇三部作の二作目として『The Walking Boy』の新版が発売。

読んでいるだけでお腹がすいてくるような魅力的な文章をそのままお届け出来るよう気を遣った作品です。
レズビアンからのアセクシュアルという主人公のステータスの変化を包んだ作品なのですが、アセクシュアリティへの世間の反応を批判したコメンタリーが効いています。「勿体ない、アンタおかしいんじゃないのか」だなんて。主人公の『欠陥』を憐れむ人々がまさか毒になるなどとは想像だにもせず旨そうに堪能する絶え間ない煙の渦と張り付くような熱気に、読んでるだけでむせ返るような、汗をかくような気分になってきます。勿論牡蠣のビジュアルのイメージや、むせ返ることをも愉しむ雰囲気からはセックスを想起する作り。時折挟まる食レポも非常に官能的です。飛行機の中、全く煙などとは無縁の空間で読む雑誌の静かな詩のような悦びとの対比が良い。

15/ サンクチュアリ

ネロ・オリッタ・フルーガー *Nero Oleta Fulgar* he/him フィリピン

1997年生まれのフィリピン人作家。ほとんどの作品の舞台であるダバオ市に住んでいる。リアリズム小説を執筆し、時にクリエイティブ・ノンフィクションにも挑戦する。2013年、フィリピン大学クリエイティブ・ライティング学科を卒業。現在、法律を勉強しながら、文学の読み書きを続けている。

このアンソロジーの原題と同一のタイトルです。聖域、また、保護区域の意味があり、平和と安寧が保障された、なんというか家のような場所というイメージ。「聖域」とあるように、これはフランシスコ教会で見た天国的な中庭を想起させるタイトルではあるのですが、ここでは家族や友人の絆の美しさに同様のイメージを付与しています。登場人物たちは結局皆それぞれの方法で離ればなれになってしまうけれど、最終的にこの物語はアフィがずっと孤独でいては実現し得なかった人間同士の繋がりを慈しむ話です。別れる際に痛みや悲しみがあった、そんな価値があった人間関係は言わずもがな素晴らしい。既に閉じた過去の絆、その古傷がサンクチュアリなんじゃないかなあと思いました。

16/ スノードームの製図技師

デスモンド・コン・ゼチェン－ミンジ *Desmond Kon Zhicheng-Mingdé*

he/him シンガポール

元ジャーナリストであり、1編の書簡体小説、5つのハイブリッド作品、9編の詩集の著者。20冊以上の本を編集し、3冊のオーディオブックを共同制作している。IBPAベンジャミン・フランクリン賞、Independent Publisher Book Award、National Indie Excellence Book Award、Poetry World Cup、シンガポール文学賞、Beverly Hills International Book Awardsを2度、Living Now Book Awardsを3度受賞している。Squircle Line Pressの創立編集長を務める。


原語タイトルは「The Draughtsman's Snow Globe」です。Draughtとはボードゲーム、チェッカーの別名。チェッカーボードを思わせるモチーフは色々な場面で出てきます。ローレンの駒は誰にとられたか、それとも動けなくなってしまったでしょうか？

登場する国・宗教・寓話の数々に加えて、スノードームやチェッカー、層になったピーナツバター等象徴的なモチーフも多量に出てくるし、家・生死・善悪・ジェンダーなどテーマも多岐に渡っていて、いちいち調べものをするにせよ、しないにせよ、読むのが非常に困難な物語です。

けれど実は、様々な主義主張に基づく色々な解の在り方のフラッシュの背後に、譲れない絶対悪…ポル・ポトやホロコーストのイメージが全体を通して「問い」を携えて佇んでいる構図をロングショットで捉える、そんなザックリした読み方でも読めます。見えたテーマをひとつに定めて、気負わずに再チャレンジしてみてください。読むごとに追うテーマを変えて繰り返し挑戦するうちに、一貫した哲学が見えてくるかもしれません。

17/ 命には命

アーリー・ソル・A・ガドン *Early Sol A. Gadong* **she/her** フィリピン

数学を教えることに第一に心酔しているが、書き物は第二に大切。『Nasa Sa Dulo ng Dila』及び『Si Bulan, Si Adlaw, kag Si Estrelya』の2冊の著者であり、

作品は雑誌やアンソロジーに掲載されている。パランカ記念文学賞受賞作家。現在、西ビサヤ地方の作家グループHubon Manunulatの副会長を務め、母語による文学の振興を提唱している。

時代を超えたシスターフッドが温かいお話。それにクィアに生命の誕生を物語っているのも興味深い。赤ちゃんが誕生するときに代わりに人が死ぬという構図はアーネスト・ヘミングウェイのIndian Campという作品にも見られるのですが、この作品のお婆さんがインディなんて名前なのは偶然ではないでしょう。
本作のインディお婆さんの死と赤ちゃんの誕生には明快で直線的な因果が示されています。作中の登場人物は血統に拘っているようだし、それは赤ちゃんの名前「ミゲリート」にも現れるイデオロギーですが、こんなに明快にインディお婆さんの命を直接要因に含めた状態で生まれた命は、一体どの血統の命なんでしょうか。三人で産んだのか、一人と一人を引き替えただけでしょうか。それともインディお婆さんとカルメンの子と呼びますか。